De nacht van de waarheid

Piero Degli Antoni

De nacht van de waarheid

Vertaald uit het Italiaans
door Liesbeth Dillo

 BIBLIOTHEEK
HEERENVEEN

Anthos|Amsterdam

Eerste druk maart 2008
Tweede druk juni 2008

ISBN 978 90 414 1188 4
© 2007 Piero Degli Antoni
© 2008 Nederlandse vertaling Ambo|Anthos *uitgevers*,
Amsterdam en Liesbeth Dillo
Oorspronkelijke titel *La notte di Peter Pan*
Oorspronkelijke uitgever RCS Libri
Omslagontwerp Roald Triebels, Amsterdam
Omslagillustratie © Michael Prince / Stone+ / Getty Images
Foto auteur Grazia Neri

Verspreiding voor België:
Veen Bosch & Keuning uitgevers n.v., Wommelgem

Voor Leonardo, de echte

'God gave us memory so that we might have roses in December'

– James Matthew Barrie

21 UUR

Hallo

'Papa, ik ben klaar.'

Stilte.

'Papa, ik ben klaar.'

Leonardo hield zijn adem in.

Het bleef stil.

Papa gaf geen antwoord. Toch moest hij in de woonkamer zijn. Misschien hoorde hij het niet. Of deed hij net alsof hij het niet hoorde. Niet dat hij hem echt nodig had. Hij kon best alleen uit bad komen en hij was intussen groot genoeg om zijn badjas van het haakje te pakken. Een paar maanden geleden kon hij daar nog niet bij. Maar na de laatste keer dat hij koorts had gehad was zijn lichaam net die paar centimeters gegroeid. Kortom, hij kon er best zelf uit komen en zich aankleden. Hij kon ook al zelf zijn haar drogen. Papa zei altijd dat hij de föhn niet in zijn eentje mocht gebruiken, omdat dat levensgevaarlijk was. Maar wanneer papa in zijn werkkamer muziek zat te maken, had hij hem af en toe toch gebruikt. Hij had de stekker in het stopcontact gestopt, goed opgelet dat er geen druppeltje water op het snoer kwam, en hem aangezet. Het ging om de elektriciteit, die was gevaarlijk, dat wist hij heel goed. Je kon een schok krijgen. Gelukkig was er altijd nog de automatische zekering, had papa uitgelegd, waardoor bij kortsluiting de stroom in het hele huis zou uitvallen.

'Papa, ik ben klaar.'

Het bleef stil. Soms deed zijn vader net alsof hij het niet hoorde. 'Je bent al bijna tien,' zei hij dan op verwijtende toon, 'en je hebt nog steeds hulp nodig als je in bad gaat?' Soms schudde hij zijn hoofd, pakte de badjas en gaf hem die aan. Soms snoerde hij hem de mond met zijn gebruikelijke opmerking: 'Zoek het zelf maar uit', en hij liep dan weg.

'Ik ben klaar.'

Hij wist dat zijn vader boos zou worden. Hij was echter bereid dat te trotseren, omdat hij het fijn vond als papa hem in zijn badjas wikkelde en hard droogwreef tot zijn huid rood zag. Op zo'n moment voelde hij zich weer klein: het was alsof hij terugging naar heel lang geleden, toen hij pas zes was, en mama hem in bad deed. Zij waste hem, spoelde hem af, speelde met hem en zijn bootjes en poppetjes. Daarna tilde ze hem op en wikkelde hem in zijn badjas, waarbij ze hem zachtjes droogwreef. Papa was daar niet zo goed in: voor hem was het een taak en geen spelletje. Maar hij nam er genoegen mee: haastig drooggewreven worden was nog altijd beter dan niets.

Nog steeds geen reactie.

Leonardo bleef stil in het water zitten, dat koud begon te worden. Hij staarde naar de piepkleine rode wandtegeltjes. Robijnen. Robijnen die papa op een van zijn reizen om de wereld had gestolen uit een zeeroversschat. Daarna had hij ze in flinterdunne plakjes laten snijden en op de muur laten plakken. Briljant, dacht Leonardo glimlachend. Zelfs al zou er ingebroken worden, dan nog kwamen de boeven vast niet op het idee dat er op de badkamermuur een schat geplakt zat. De reserveschat, noemde hij hem bij zichzelf: want hij wist zeker dat er nog een schat was, ergens in de tuin verborgen.

Nou goed, als papa dan besloten had hem te negeren, bleef hij wel tussen zijn speelgoed in het water zitten. Daar lag ook een knuffel en een blauwe jojo van plastic, want Leonardo maakte geen onderscheid tussen wat wél en niet tegen water kon en nam alles wat hem op dat moment bezighield mee in bad. Een bootje dobberde scheef op het badschuim. Het schip van de zeerovers, het schip van Kapitein Haak.

Leonardo stak zijn grote teen omhoog, zodat die net boven het wateroppervlak uitkwam. Een krokodil. Hij was niet groen en hij had geen schubben of tanden, maar toch was het een krokodil. Heel even vergat Leonardo dat hij naar zijn eigen teen keek en was hij echt bang voor het krokodillenmonster. Snel deed hij zijn voet weer omlaag. De hand waarop hij rustte gleed weg en hij ging kopje-onder. Het duurde maar een tel: de tijd die hij nodig had om zijn evenwicht terug te vinden en boven water te komen. Maar toen hij weer opdook, was Leonardo doodsbang. Hij hapte met wijd open mond naar adem, want van de schrik kreeg hij geen lucht.

Toen hij weer gewoon kon ademhalen, probeerde hij de angstvlagen te verjagen die hem hadden overspoeld. Het water is maar een paar centimeter diep, een paar centimeter maar, bleef hij herhalen. Als papa hem gezien zou hebben... 'Nog steeds hetzelfde liedje, Leonardo? Denk je te kunnen verdrinken in een bodempje water? Dat gaat echt niet lukken, hoor.'

Leonardo vermande zich. Die vervloekte zeerovers... Bijna hadden ze hem te pakken gehad. Gelukkig was de krokodil uit de buurt gebleven.

Een druppeltje zeepwater sijpelde in zijn oog. Dat brandde. Toen pas realiseerde Leonardo zich dat zijn haren nat waren. Bah, nou moest hij ze wassen. Daar had hij een enorme hekel aan. Al dat water op zijn hoofd, hij kreeg het er benauwd van. Nog afgezien van de shampoo die in zijn ogen prikte.

Hij strekte zijn hand uit naar een van de flesjes op de badrand, pakte het en hield het vlak voor zijn ogen. Wat stond erop? Hij keek naar de letters die voor hem op en neer dansten en dwong zichzelf kalm te blijven. Hij moest zich het trucje herinneren, dat was alles. Het ging inmiddels al haast vanzelf: als hij rustig bleef, kon hij best goed lezen. De eerste letter was een lange kronkel, net een slang. Dat moest dan wel de s van slang zijn. De tweede leek op een… Leonardo bekeek het teken achterdochtig. Wat was dat? Hij herkende het niet. Het leek wel een ladder. Of een hek. Nou, de H van hek dan maar. De derde letter was makkelijker: twee schuine lijnen die vanboven tegen elkaar aanleunen met een streepje in het midden. De A! Ja, het was de A! De vierde herkende hij meteen: die had hij als eerste geleerd. De drie poten van de M van mama. Dan een rondje op een stokje, als een pan met een steel eraan, de P van pan. En tot slot tweemaal een wijd open mond van verbazing: 'Oooh'. Twee O's dus. Leonardo zette alle letters achter elkaar: S, H, A, M, P, O, O. Dus… Shampoo, ja, natuurlijk. Hij glimlachte tevreden. Hij was blij dat het hem zo snel was gelukt. Als hij met zijn huiswerk bezig was en papa over zijn schouder hing om hem te controleren, ging het veel moeilijker…

Leonardo goot wat shampoo in zijn handen en waste zorgvuldig zijn haren. Hij wilde ze graag lang laten groeien en liet ze alleen knippen als zijn vader dreigde het anders zelf te doen, 's nachts, terwijl hij lag te slapen. Hij pakte de douchekop en draaide de kraan open, zodat er een klein, piepklein, straaltje water uit kwam. Hij wilde niet nog een keer dat vreselijke gevoel hebben te verdrinken. Zo, klaar. Het water droop van zijn haar langs zijn nek naar beneden, over zijn magere borst en zijn uitstekende schouderbladen.

'Papa, ik ben klaar.' Leonardo probeerde het nog één keer, zonder al te veel overtuiging. Papa had besloten hem te negeren. Soms – zelden – gaf hij toe aan wat hij Leonardo's grillen noemde. Soms werd hij razend en ging schreeuwen. Andere keren bleef hij onverschillig zwijgen.

Berustend ging Leonardo staan en liet het water van zijn dunne, knokige lijfje druppelen. Hij tilde een voet over de rand van het bad en zette hem voorzichtig op de badmat, waarbij hij ervoor zorgde dat de vloer niet nat werd. Daar had papa een hekel aan.

Met dezelfde behoedzaamheid verplaatste hij zijn gewicht naar de voet die al buiten stond en haalde zijn andere been uit bad. Hij pakte zijn badjas en trok die aan. Goed, papa had gewonnen. Maar hij zou zich niet haasten. Hij zou zonder kleren rond blijven lopen. Plotseling herinnerde hij zich dat hij de molens van de werphengels nog moest spoelen: dat had papa hem al drie of vier keer gevraagd. Leonardo genoot van zijn eigen ongehoorzaamheid. Hij pakte zijn blauwe metalen brilletje met de ronde glazen, dat hij op de rand van het bad had gelegd, en zette het op zijn neus. De wereld om hem heen kreeg zijn scherpe contouren weer terug.

Om tijd te rekken, liep Leonardo nog niet naar zijn slaapkamer, maar naar het raam. Als hij op zijn tenen ging staan, kwam hij net boven de vensterbank uit en kon hij naar buiten kijken. Even werd hij, zoals altijd, duizelig.

Onder hem liep de rots loodrecht de zee in. Honderd meter lager kolkte het water. Een enkele pijnboom was het gelukt op de rotsen wortel te schieten en groeide met gebogen stam naar boven, als een omgekeerd vraagteken. Heftige windvlagen geselden de struiken. De kustlijn strekte zich links en rechts verlaten uit: kilometers in de omtrek was geen enkel ander huis te bekennen, alleen de alle elementen trotserende, ruige begroeiing van de Ligurische kust. Daar woonden ze, verschanst op de rotsen, tussen de zee en de hemel in. Aan de rechterkant, iets lager, lag een terras met olijfbomen. Het huis was een echt adelaarsnest, op een afgelegen plek die onmogelijk te bereiken leek, ver van alles en iedereen vandaan.

Beneden in de diepte zwol de zee op tot hoge, schuimende golven. Het was september en de zon was al onder. In het licht van de avondschemering zag Leonardo in de verte grote wolken, die als luchtschepen vanaf de horizon dichterbij kwamen. Heel ver weg, haast opgeslokt door het duister, kon Leonardo een flikkerend licht onderscheiden. Van een boot in de buurt van het eiland Risetto waarop, zo had papa hem verteld, een 'extra beveiligde gevangenis' stond. Hij had uitgelegd dat de gevaarlijkste criminelen daar zaten opgesloten. Op dagen met goed zicht – vooral in de winter, als je bij sterke wind zelfs de besneeuwde toppen van de Franse Alpen aan de andere kant van de Golf van Genua kon zien – tuurde Leonardo met een verrekijker naar het gevangenisgebouw en voelde een heerlijke siddering van angst. Net zoals wanneer hij op de donderdagmarkt de te koop uitgestalde voorwerpen aanraakte die door de gevangenen waren gemaakt: spiegels van smeedijzer, mandjes, lampen van terracotta, brievenbussen, rieten krantenbakken…

Plotseling zag hij iets vanuit zijn ooghoek en keek naar beneden. Een donkere figuur. Iemand rende door de olijfboomgaard achter het huis. Daar liep een in de rots uitgehakt pad doorheen, dat uitkwam bij de kleine steiger waar hun rubberen motorboot lag aangemeerd. Leonardo hield zijn adem in. Een schim… Een schim tussen de bomen. Misschien… Ja, dat was natuurlijk…

Hij draaide zich om en holde naar de wastafel om van de marmeren rand de kleine zaklamp te pakken, die hij altijd bij zich droeg. Zodra hij hem aandeed, joeg het magische licht geesten, duivels, heksen en monsters op de vlucht. Maar nu had Leonardo hem ergens anders voor nodig. Hij knipte hem aan en richtte de lichtbundel op de olijfboomgaard. Hij scheen naar rechts en naar links, in een poging de figuur die hij zojuist had gezien te onderscheppen. Tevergeefs. Tussen de bomen was niets meer te zien. Jammer, want Leonardo wist het zeker. Het was Peter Pan geweest. Ja, net als in het begin van de film kwam Peter zijn schaduw ophalen. Misschien was die in papa's harpoen blijven steken. Misschien had Peter die ochtend in zee gezwommen en had de harpoen zijn schaduw afgerukt.

Hoe dan ook, waar Peter Pan nu ook verstopt zat, Leonardo zag hem niet meer. Misschien was de aanvoerder van de Verloren Jongens weer weggevlogen. Gelukkig maar, dacht Leonardo, die eigenlijk toch wel opgelucht was. Als Peter Pan het hem had gevraagd, had hij niet geweten of hij mee wilde naar Nimmerland. Het zou natuurlijk leuk zijn met Wendy, de Verloren Jongens, Tijgerlelie en alle anderen, maar… wat moest papa dan? Hij zou het nooit over zijn hart kunnen verkrijgen om hem in de steek te laten. Hij deed wel heel streng, maar als hij zijn slaapkamer leeg zou aantreffen, zoals de ouders van Wendy was overkomen toen ze terugkwamen van het feest, zou hij doodgaan van verdriet. Gelukkig hoefde Leonardo niet te kiezen of hij wel of niet naar Nimmerland zou vliegen: Peter was verdwenen zonder hem in verleiding te brengen.

Leonardo deed Tinkelbel – zijn zaklamp – uit en stopte hem in de zak van zijn badjas. De opwinding over wat hij had gezien, was alweer verdwenen en hij verveelde zich. Hij slofte naar de wastafel en pakte zijn kleine memorecorder. Ernaast lag nog iets: een afschuwelijk voorwerp van metaal, dat hij de hele tijd probeerde te negeren. Vanaf de witte marmeren rand staarde het hem dreigend aan, als de scherpe hoektanden van een sabeltandtijger: zijn beugel. Leonardo wist dat hij er vroeg of laat iets mee moest, maar nu deed hij liever of hij hem niet zag.

In plaats daarvan dacht hij aan wat hem zojuist was overkomen en drukte op de rec-toets.

'Lieve mama, ik heb Peter Pan gezien! Ik weet zeker dat hij het was. Ik denk dat hij zijn schaduw kwam halen, net zoals toen bij Wendy. Maar ik wil niet mee naar Nimmerland…'

Terwijl hij aan het opnemen was, zag Leonardo op het apparaat een rood lampje branden. De batterijen waren bijna leeg. Hij drukte twee toetsen in en uit de luidspreker klonk zijn zojuist opgenomen stem.

'Lieve mama, ik heb Peter Pan gezien! Ik weet zeker dat hij het was. Ik denk dat hij zijn schaduw kwam halen, net zoals toen bij Wendy. Maar ik wil niet mee naar Nimmerland…'

Leonardo knikte tevreden. Hij aarzelde even, maar drukte toen toch weer een paar toetsen in. Uit de luidspreker klonk nu een andere stem, een vrouwenstem.

'Lieve Leonardo, dit is mijn cadeau voor je zesde verjaardag. Het is een dagboek. Omdat je niet van schrijven houdt, kun je het inspreken. Alles wat je wilt vertellen kun je overdag opnemen en 's avonds zal ik ernaar luisteren. Zo zal ik altijd precies weten wat je doet…'

Snel zette Leonardo hem uit. Elke keer maakten die woorden, maar vooral die stem, hem weer van streek. Het was fijn en verdrietig tegelijk. Hij bedwong zijn tranen en stopte de recorder in de zak van zijn badjas.

Goed, het zag ernaar uit dat papa niet van plan was hem tegemoet te komen. Hij kon nog een laatste wapen inzetten, het meest afschuwelijke. Hij dwong zichzelf naar zijn beugel toe te lopen.

'Bob', noemde zijn vader hem, in een poging hem vriendelijker en minder eng te doen lijken. Eigenlijk heette het een buitenboordbeugel. Papa maakte er grapjes over: 'Toe, Bob wil zo graag dicht bij je zijn' of 'Heb jij gezien waar Bob uithangt?' Ondanks die verwoede pogingen vond Leonardo het nog altijd een vreselijk apparaat.

Voorzichtig stak hij zijn hand uit, alsof hij een slang bij zijn staart moest pakken. Toen papa twee jaar geleden met hem naar de orthodontist ging, was hij zich kapotgeschrokken. Het leek onmogelijk om zo'n groot, glinsterend ding in zijn mond te stoppen. De orthodontist had er meer dan twee uur over gedaan om ringetjes aan zijn kiezen te bevestigen. Toen had hij hem voorgedaan hoe de dunne, metalen boog in de buisjes aan de ringetjes moest worden geschoven. Daarna moest hij het apparaat vasthaken aan een elastieken band om zijn nek. En terwijl zijn mond op die manier was klemgezet, moest Leonardo volgens hem rustig kunnen gaan slapen…

'Papa, je weet toch dat ik Bob niet alleen kan indoen!'

Papa zeurde altijd dat hij zijn beugel moest dragen. De orthodontist had verteld dat tientallen andere patiëntjes van hem dat elke avond probleemloos deden, maandenlang. 'Anders blijft het te krap in je mond en moeten we straks vier kiezen trekken om ruimte te maken.' Zelfs dat dreigement had hem niet kunnen overhalen om het afschuwelijke apparaat zelf in zijn mond te stoppen. Papa moest hem er steeds bij helpen, en ook dan was het nog geen makkelijke operatie.

'Papa, mijn beugel!'

Stilte. Geen antwoord. Papa deed vanavond wel heel moeilijk. Nou, dan ging hij zelf naar de woonkamer. Maar zonder zich aan te kleden. Hij weigerde zich gewonnen te geven.

Leonardo liep door de donkere gang en hield zijn beugel als een wapen in de hand. Er liep een rilling over zijn rug. Hij bleef staan. Uit zijn zak haalde hij Tinkelbel, hij knipte hem aan en scheen naar de grond.

Niemand wist dat hij in het licht van zijn zaklamp vingerafdrukken kon zien, en soms zelfs dwars door muren heen kon kijken. Dat was een goedbewaard geheim. Maar nu werd alleen het stoffige parket verlicht. Na een paar passen draaide Leonardo zich plotseling om en inspecteerde zijn schaduw. Sinds hij *Peter Pan* had gezien was hij doodsbang, niet eens zozeer om hem kwijt te raken, als wel om hem in een andere positie dan zijn lichaam aan te treffen. Soms stelde hij zich voor dat hij achterom zou kijken en zijn schaduw nog op bed zou zien liggen, terwijl hij zelf al was opgestaan… Dat zou hij doodeng vinden en hij wilde dan ook niet dat het zou gebeuren… En toch, tegelijkertijd, *verlángde* hij ernaar. Soms kon hij zich niet inhouden, zoals nu bijvoorbeeld, en moest hij achteromkijken naar zijn schaduw. Alles was in orde. Zijn schaduw volgde hem ook nu weer braaf, constateerde hij zowel teleurgesteld als tevreden.

Hoe dichter hij bij de woonkamer kwam, waar het licht aan was, hoe duidelijker Leonardo muziek hoorde. Zachte, verleidelijke muziek. Papa noemde het jazz, 'warme' jazz, wat dat ook mocht betekenen. Leonardo stelde zich altijd voor dat papa de plaat even in de oven stopte, voor hij hem op de speler legde. Dit keer was het geen plaat, maar de radio. Het nummer werd onderbroken door reclame en ging toen verder. Een vrouwenstem zong. Leonardo kon het niet verstaan. Papa stond erop dat hij Engels leerde, maar hij had daar geen zin in. Als hij ertoe gedwongen werd, vergiste hij zich expres in de uitspraak.

'Papa…' begon hij weer, maar hij deed er toen ineens het zwijgen toe, alsof hij gehoorzaamde aan een onbestemd gevoel. Stom, er was toch niets om bang voor te zijn, hier in hun onneembare fort?

Hij zette nog een stap en stootte met zijn voet ergens tegenaan. Hij verlichtte het met zijn zaklamp. Op de grond lag een gevallen kopje in een plas water. Gelukkig had hij geen lawaai gemaakt, want het kopje was van plastic. *Gelukkig…* waarom dacht hij dat?

Leonardo liep door. Het licht werd feller en de muziek harder. Op een kastje in de gang stond een fotolijstje. Toen hij erlangs liep, raakte Leonardo het even zachtjes aan, alsof er in plaats van een foto een echte vrouw stond: hij zag haar fijne trekken, haar lieve en tegelijkertijd geamuseerde gezichtsuitdrukking, haar lange blonde haar en hij kon zelfs de geur van haar huid ruiken. Haar handen waren ineengevouwen op een manier die Leonardo heel goed kende: de wijs- en middelvinger van de rechterhand hielden de steen vast van de ring aan haar linkerringvinger, een grote aquamarijn gevat in witgoud.

Gesterkt door de ontmoeting, legde Leonardo vastbesloten

het laatste stuk af dat hem van de woonkamer scheidde. Nu hoefde hij alleen nog maar de hoek om.

Op het kleed, op zijn rug, onder het grote raam dat uitkeek op zee, lag zijn vader. Zijn handen en voeten waren vastgebonden. Zijn kleine, gedrongen lichaam zag eruit als een vormeloze bundel.

In zijn gezicht, omlijst door een bos zwart haar en een volle baard, fonkelden zijn ogen van angst. Een grote hand hield zijn mond dicht.

Schuin op hem zat een gespierde man van een jaar of dertig, met doorweekte kleren, blote voeten en lang nat haar in een paardenstaart die tegen zijn hoofd zat geplakt. In zijn rechterhand hield hij een groot keukenmes.

Toen Leonardo tevoorschijn kwam, keek de man naar hem op en verscheen er een glimlach op zijn gezicht.

'Hallo.'

Dat is een geheimpje

Als verlamd bleef Leonardo staan. Het enige dat tot hem doordrong was de muziek die uit de stereo-installatie klonk. Wat een mooie vrouwenstem. Zo zacht als fluweel.

Toen gebeurde er iets. Zijn vader profiteerde van de verrassing die Leonardo's binnenkomst had veroorzaakt, wist zijn mond vrij te krijgen en beet in de hand van de man. Die trok hem met een kreet van pijn terug. Zijn vader maakte gebruik van de situatie en schreeuwde: 'Hollen!'

Op slag kwam het verstilde schouwspel tot leven. Leonardo zette het op een lopen. De onbekende kwam overeind, klom over de vader heen en snelde hem met getrokken mes achterna, de pijnlijke hand onder zijn oksel geklemd.

Snel, dacht Leonardo, ik moet snel zijn. Na een paar stappen was hij al buiten adem, trilden zijn handen en werkten zijn hersens niet meer. Hij holde de kamer uit en de donkere gang in, waar hij zojuist vandaan was gekomen. De zaklamp doorkliefde het duister, op en neer, op en neer, in het ritme van zijn passen. Zonder te stoppen knipte hij hem uit en stopte hem in zijn zak. Hij hoefde zijn achtervolger niet te helpen; hij had het voordeel dat hij de weg wist in huis.

Aan het eind van de gang gekomen, hoorde hij achter zich een bons en een gesmoorde vloek. Mooi zo, in het donker was die vreselijke man tegen het kastje op gebotst waar de foto van mama op stond.

Dat leverde hem kostbare extra seconden op: nu moest hij snel zijn, heel snel.

Hij holde het halletje in en gooide de deur achter zich dicht. Hij wist dat hij geen tijd had om de sleutel om te draaien, maar ook dat er op de hal vier deuren uitkwamen. Met bonzend hart bekeek hij zijn vier mogelijkheden.

Achter de eerste deur bevond zich het washok. Hoog bovenin zat een heel klein raampje. Misschien zou hij daardoor kunnen ontsnappen. Misschien was zijn achtervolger te groot om erdoorheen te kunnen. Misschien…

De tweede gaf toegang tot de trap naar boven, naar de tweede verdieping. Maar wat moest hij daar doen? Hij kon toch niet uit het raam springen? Een doodlopende weg dus.

Achter de derde was de bergruimte onder de trap. Donker, klein en zonder uitgang. Hij kon zich in een hoekje verstoppen onder een stapel spullen die daar in de loop der jaren terecht was gekomen. Hij kon zijn adem inhouden en net doen alsof hij dood was. Misschien zou het monster hem niet vinden, of misschien zou hij er gewoon voorbijlopen. Even leek het idee hem wel wat.

De vierde deur voerde naar de eetkamer. Van daaruit kon hij zien weg te komen. Het rotsachtige terrein had de villa een onregelmatige vorm opgelegd. Het huis omsloot een wintertuin, die door de beschutting van de muren en het transparante dak ook in januari in volle bloei stond. Je kon om het hele huis lopen zonder te hoeven omkeren. Een van Leonardo's lievelingsspelletjes was almaar rondjes te rennen, tot hij niet meer kon of tot papa hem een halt toeriep – 'Hou op, ik krijg er hoofdpijn van!'

De eerste, tweede, derde of vierde? Leonardo moest snel kiezen. Het zweet brak hem uit. Kiezen was het moeilijkste wat er was.

Hij hoorde iets op de gang en in een fractie van een seconde nam hij een besluit. Hij schoot de eetkamer in en deed de deur achter zich dicht. Hij graaide naar de sleutel, maar die glipte uit zijn zweetnatte handen en viel rinkelend op de grond. Hij dook naar beneden om hem te zoeken… Verdorie, wat was het donker. Op de tast voelde hij om zich heen. Niets. Binnen enkele tellen zou die vreselijke man er al zijn.

Leonardo pakte zijn zaklamp, knipte die aan en zag meteen de sleutel glimmen onder een kist. Hij stak zijn hand uit, schramde zijn arm aan het ruwe hout van de onderkant en pakte hem op. Hij stopte hem in het sleutelgat. Nee, sufferd, andersom! Hij had hem net een keer omgedraaid toen een zwaar lichaam tegen het hout beukte.

'Zit je hier?'

Een diepe stem, dreigend en angstaanjagend. De stem van het monster.

'Ik wil je geen pijn doen. Doe open.'

Het was een ogenblik stil.

'Doe open. Je kunt toch niet ontsnappen.'

Leonardo stond met zijn rug tegen de deur gedrukt en hield zijn adem in. Misschien als hij heel stil was… Hij wist dat hij moest vluchten, maar hij bleef als verlamd tegen de deur staan. Het idee dat er aan de andere kant van de houten deur, die nauwelijks een paar centimeter dik was, een levensecht monster stond, vond hij spannend en doodeng tegelijk. Een echt monster…

Meer tijd om na te denken had hij niet.

Door een harde klap werd hij naar voren gesmeten. Leonardo viel op de grond en brak de val met zijn armen. De houten delen van de deur waren verbrijzeld en de splinters vlogen in het rond. Sommige waren in zijn haar terechtgekomen. De deur lag er nog niet helemaal uit, maar bij een tweede stoot zou dat zeker gebeuren.

Haastig kroop Leonardo een paar meter over de grond en hij

keek over zijn schouder. Hij moest weg zien te komen en snel ook, maar kon zijn blik moeilijk losmaken van het horrortafereel dat zich achter hem afspeelde. Ineens vond hij toch de koelbloedigheid die hij nodig had. In een soepele beweging kwam hij overeind en begon te rennen. Net op tijd. Achter zich hoorde hij dat het hout het begaf. Hij ging de aangrenzende kamer binnen en deed met trillende handen de deur achter zich op slot. Daarna ging hij de volgende kamer in en deed daar hetzelfde. Terwijl hij de sleutel omdraaide, hoorde hij de woedende slagen op de deur in de andere kamer al. Hij had nog maar weinig tijd, maar was eindelijk op de juiste plek aangekomen. Papa's werkkamer. In het midden stond een zwaar, antiek bureau dat leunde op vier in hout uitgesneden leeuwenpoten. Tegen alle muren stonden kasten vol boeken en platen. In een hoek stond een synthesizer.

Hier lag, in een lade van het bureau, de afstandsbediening van het alarmsysteem. Eén exemplaar droeg papa voor de zekerheid altijd bij zich. Het andere lag hier. Leonardo had hem nooit gekregen – 'Je bent nog veel te klein en je raakt hem vast kwijt' – maar hij had wel vaak verteld waar hij lag: in een lade van zijn bureau. Papa had hem geleerd dat hij in geval van nood op de rode knop moest drukken. Een elektrisch radiosignaal zou dan zowel de politie als een particulier beveiligingsbedrijf waarschuwen.

Op de knop drukken. Van de afstandsbediening. In de la.

Maar welke la?

Leonardo keek naar het antieke bureau van zijn vader en het zweet brak hem uit. Zowel links als rechts onder het schrijfblad zaten twee rijen lades. Welke was het? Hij dwong zich papa's instructies te herinneren. Maar natuurlijk! Rechts bovenin. Hij sprong naar het bureau en trok aan de la.

Geen beweging in te krijgen.

Hij zat op slot.

'Zit je hier?'

De stem van het monster klonk gedempt vanaf de andere kant van de deur. Zijn hart ging nu als een razende tekeer.

'Zit je hier?'

Hij moest stil zijn. Muisstil en onbeweeglijk.

'Ik wil je geen kwaad doen. Doe eens open.'

Uit alle macht rukte Leonardo weer aan de lade. Maar nog steeds kreeg hij hem niet open.

'Schiet op!' gebood de stem en hij kon het niet laten zijn hoofd die kant op te draaien.

Zijn redding lag binnen handbereik, en toch... Waarom had papa de lade op slot gedaan? Waarom...

Hier bleef zijn gedachtegang steken. Er klonk een keiharde dreun tegen de deur. De scharnieren kraakten, maar gaven nog net niet mee. De deur van de werkkamer was anders dan de andere deuren, zwaarder en met leer bekleed – papa haatte het als hij gestoord werd tijdens het werken. Lang zou hij het echter niet meer houden.

Nog een paar seconden. Rechtsboven, rechtsboven... Ineens schoot Leonardo iets te binnen.

Rechts...

IJzingwekkend langzaam hief hij zijn handen op en keek ernaar. Rechts, links... Met welke hand at hij? Sufferd! Hij had zich vergist...

Ondertussen trok hij al aan de lade aan de andere kant. Soepeltjes gleed die door de rails. Naast een schaar, een rolletje plakband, een nietmachine en een paar paperclips lag de grijze afstandsbediening. Zijn redding.

Papa zou tevreden zijn. Hij zag het al voor zich: papa – in een ziekenhuisbed, helemaal in het verband – die met een tevreden glimlach zijn hand vasthield: 'Ik ben trots op je, zoon.'

Hij stak zijn hand uit, maar het was te laat.

Onder luid gekraak bezweek de deur. Leonardo draaide zich

om en zag nog net dat iets groots, nats en razendsnels zich op hem stortte. Toen viel hij op de grond, vlak voordat zijn vingers de afstandsbediening konden pakken. Hij werd bij zijn enkels gegrepen en over de vloer gesleept. Hij probeerde verzet te bieden door zich aan een poot van het bureau vast te houden, maar zijn pogingen waren zinloos vergeleken met de kracht die hem wegtrok. Hij werd naar achteren gesleurd, de kamer uit, dwars door stukken kapotte deur heen. Toen pas liet de man hem los.

Enigszins versuft draaide Leonardo zich om en keek op naar zijn aanvaller, die geknield naast hem zat.

'Gaat het?' vroeg de man en hij wilde met zijn hand het haar uit Leonardo's ogen strijken, maar die deinsde achteruit. Met zijn hakken zette hij zich af en hij schoof minstens een meter over de grond naar achteren.

'Gaat het?' vroeg de man weer, nu zonder dichterbij te komen. Hij antwoordde met een korte hoofdknik. De man stopte het mes weg. Hij stond op, pakte de afstandsbediening, deed het raam open en gooide hem naar buiten. Toen haalde hij nog iets anders uit een van de lades van het bureau en hij stopte dat in de zak van zijn doorweekte broek.

'Kom, Leonardo, sta op en ga mee terug naar de kamer.'

Hij was met stomheid geslagen.

'Hoe weet jij mijn naam?'

De man legde zijn wijsvinger op zijn lippen en ging zachter praten.

'Ssst… Dat is een geheimpje.'

En sloot zijn ogen

Terug in de woonkamer, kruiste Leonardo's blik die van zijn vader. Heel even zag hij teleurstelling in diens ogen, maar eigenlijk had papa niet echt verwacht dat hij het zou kunnen halen.

De man zette hem zachtjes op de bank in het midden van hun klassiek ingerichte woonkamer, die was opgeluisterd met antieke stukken: een spiegel in een vergulde lijst, een dressoir uit de achttiende eeuw, een ingelegd tafeltje, een porseleinen beeldje, een Chinese vaas en een staande klok. Aan de andere kant stond een grote vleugel. Op de grond lag een tas met duikersspullen en een harpoengeweer.

Zijn vader klemde zijn kaken op elkaar en waarschuwde de onbekende man: 'Laat hem met rust anders zul je het berouwen.'

De man reageerde niet, nog geen glimlach of blik in zijn richting.

'Ik zie niks. Doe die lamp eens aan,' droeg hij Leonardo op zonder hem aan te kijken. Hij wees naar de terracotta schemerlamp op het antieke tafeltje. Leonardo deed wat hij vroeg.

Uit zijn broekzak haalde de indringer het brede plakband dat hij uit de werkkamer had meegenomen. Met zijn tanden scheurde hij er een stuk vanaf en liep ermee naar Leonardo's vader.

'Nee, niet doen! Niet… Umpf…'

De man plakte zijn mond dicht. Leonardo's vader was klein en gedrongen, zijn hoofd zat weggezonken tussen zijn schouders, alsof hij geen nek had. Zijn zwarte haar en kroezige baard versterkten nog eens de dierlijke indruk die hij al wekte. Ondanks zijn leeftijd – vijftig jaar – had zijn gezette, gebruinde lichaam enorm veel energie. Zijn spieren schoten heen en weer onder de touwen, in zinloze pogingen zich te bevrijden. De onbekende man inspecteerde de knopen in het touw en smeet het plakband weg, dat onder de piano rolde.

'Honden die bijten krijgen een muilkorf om.'

Hij boog zich over zijn gevangene heen en doorzocht diens zakken. Hij haalde er een grijze afstandsbediening uit, precies zo een als Leonardo had gezocht. Hij gooide hem op de grond en verbrijzelde hem onder zijn hak.

Leonardo zat zo'n vier meter bij hen vandaan. Hij keek om zich heen en overwoog de mogelijkheid van een nieuwe vluchtpoging, maar de man had hem door.

'Vergeet het maar. Ik heb geen zin om verstoppertje te spelen. Als jij probeert te ontsnappen, gaat hij eraan.' Demonstratief haalde hij het mes uit zijn zak. Meer hoefde hij er niet aan toe te voegen.

Leonardo keek naar zijn vader, die zijn ogen half dichtkneep om hem duidelijk te maken: blijf rustig. Doe niets. Nog niet tenminste.

De man liet zich in een leunstoel vallen en strekte zijn benen. Zijn doorweekte kleren lieten een natte schaduw achter op de kussens. De hakken van zijn blote voeten lagen op de vloer. Hij deed zijn ogen dicht.

Wat nu? vroeg Leonardo zich af. De komst van de man had hem niet eens verbaasd: tenslotte stonden zijn lievelingsverhalen vol met mensen die zich door schoorstenen lieten zakken, deuren openbliezen, zelf ineenkrompen of juist groeiden en op vliegende tapijten huizen binnenkwamen. In al die gevallen was het echter duidelijk wat ze wilden: iemand in de oven stoppen, een kind verslinden, met de dochter van de koning trouwen of de verborgen piratenschat vinden. Maar het monster dat op wonderbaarlijke wijze bij hen in huis was verschenen leek zoiets niet van plan te zijn. Wie was hij en waarom...

Hier bleef zijn gedachtegang steken.

Vroeff... vroeff... vroeff....

Leonardo en de man draaiden zich tegelijk om.

Ook zijn vastgebonden en geknevelde vader probeerde zijn hoofd te draaien om te zien waar het geluid vandaan kwam.

Voor het raam dat uitkeek op zee verscheen als op een groot scherm een helikopter, een Augusta AB 412 CP van de kustwacht. De machine vloog laag en scheerde over de golven. In het nachtelijk duister zagen ze licht in de cabine en even dacht Leonardo zelfs de piloot te kunnen zien, ingespannen achter het stuur. Ondanks de benarde situatie stond hij ademloos te kijken. Als hij niet kon leren vliegen als Peter Pan, dan wilde hij in ieder geval ooit een helikopter kunnen besturen...

De machine volgde de flauwe bocht van de kustlijn. Een felle lamp scheen op het water en speurde de golven dicht bij de rotsen af. Aan het einde van de baai draaide de helikopter om en vloog op zo'n honderd meter van de kust terug. De schijnwerper bleef het wateroppervlak afspeuren. Plotseling steeg de machine op en veranderde met een elegante beweging van koers. Binnen een paar seconden was hij verdwenen achter de onbegroeide kaap die de baai afsloot.

Leonardo bleef in gedachten verzonken zitten, met de spectaculaire gebeurtenis nog op zijn netvlies. De man keek echter ongerust.

'Misschien zoeken ze een boot,' zei Leonardo. 'Dat gebeurt weleens, als de zee ruw is.'

De man keek hem aan met een ironische blik, die hij niet kon plaatsen.

'Denk je?'

Toen liet hij zijn hoofd weer tegen de rugleuning van de stoel zakken en sloot zijn ogen.

Kom, we gaan terug naar de kamer

'Hoor eens, Leonardo.'

Een paar minuten lang was de man in dezelfde positie blijven zitten. Toen gingen zijn ogen abrupt weer open: zoals die van poppen, die dicht zijn als ze liggen, maar wijd open springen als je ze overeind houdt. Hij stond op en boog zich zowel beschermend als dreigend over hem heen.

'Ik moet douchen. Nu meteen. Ik heb het ijskoud.'

Hij richtte zich in zijn volle lengte op.

'En jij gaat met me mee.'

Onwillekeurig keek Leonardo naar zijn vader. Hij was niet gewend om alleen beslissingen te nemen, en dan ook nog in zo'n vreemde situatie. Zijn vader kneep zijn ogen toe: ga maar.

'Waar is de badkamer?'

Leonardo nam hem mee naar de ruimte waar hij zelf een halfuur geleden in bad was geweest. De badkuip was nog vol en zijn speelgoed dreef nog op het water. De douche was achterin, achter een gordijn.

De man begon zich uit te kleden en vanuit een plotseling gevoel van schaamte keek Leonardo de andere kant op.

'Nu moet je even goed naar me luisteren,' ging de man achter zijn rug verder, 'jij blijft hier staan. Vlak buiten de douche, begrepen? Ik wil niet dat je ook maar een vinger beweegt. Ik heb gezien dat je pit hebt en dat je je vader wilt helpen, maar je kunt nu niets doen. Breng jezelf niet in de problemen.'

Nog steeds met zijn rug naar hem toe, kon Leonardo zijn verbazing niet onderdrukken. Hij, pit? Dat had papa nog nooit gezegd...

Pas toen hij het douchegordijn hoorde dichtschuiven, draaide hij zich weer om. De man stond al in de douche, maar had de kraan nog niet opengedraaid. Leonardo overdacht de situatie en kon zijn enthousiasme maar moeilijk bedwingen. Dat monster was echt dom. Zodra het water liep, zou het gekletter ieder ander geluid overstemmen. Nog even en hij zou kunnen wegglippen. Eerst zou hij papa gaan bevrijden. Daarvoor was het touw doorsnijden voldoende. Papa zou zich dan wel om de indringer bekommeren, of alarm slaan. En Leonardo zou verder alles kunnen overlaten aan de grote mensen.

Het touw doorsnijden... Waar was het mes van het monster gebleven? Hij keek rond. Hij bukte zich om de stapel kleren op de grond te doorzoeken. Geen mes. Waarschijnlijk had hij het meegenomen onder de douche. Dat gaf niets. In de keuken zou hij een ander pakken.

'Zing eens wat.'

Leonardo keek op naar het douchegordijn, dat hier en daar aan het lichaam van de reusachtige man zat vastgeplakt.

'Zing eens wat.'

Hij snapte het niet. Zingen? Wat bedoelde hij?

De onbekende man schoof het gordijn een stukje opzij en keek om het hoekje.

'Je kent toch wel een liedje?'

'Moet ik zingen?'

'Je moet zingen, ja. Hoe weet ik verdorie anders of je hier staat of hem gesmeerd bent?'

Leonardo was ontmoedigd. Hij had zijn tegenstander onderschat. Dom dat hij had gedacht dat het zo makkelijk zou zijn.

'Wat is er? Heb je geen zin om te zingen?'

'Ik…'

'Je mag zingen wat je wilt. Gewoon een liedje. Maakt niet uit wat.'

Gewoon. Leonardo raakte in de war. Dat deed hij altijd bij het horen van dat woord. Papa werd dan boos: 'Zeg nou gewoon wat,' zei hij als hij de les van die dag overhoorde en Leonardo geen antwoord gaf. Zeg nou gewoon wat.

'Ken je "Alle maanden op een rij"?'

Het was net alsof het monster zijn ongemak aanvoelde en hem wilde helpen. Hij knikte vaag, maar klemde zijn lippen stijf op elkaar.

'Alle maanden op een rij… Luister jij nu eens naar mij… Januari, bar en boos, heel veel wind, wat is er loos…' zette het monster in en hij eindigde met een diepe zucht.

Leonardo keek hem aan. Hij kon goed zingen. Aangemoedigd, probeerde hij het ook.

'Alle maanden op een rij… Luister jij nu eens naar mij… Januari, bar en boos, heel veel wind, wat is er loos…'

Het monster trok het gordijn weer dicht en draaide de kraan open. Leonardo ging door met zingen. Even later werd het gekletter onderbroken. Het monster kwam weer tevoorschijn.

'Ik hoor niks. Je zingt te zacht.'

Dus zong Leonardo luider.

'Ja, zo is het goed. Niet ophouden, hè?'

Het water liep weer. Terwijl hij stond te zingen, zag Leonardo achter het gordijn de omtrek van de man. Nu stond hij zich in te zepen. Nu hief hij zijn gezicht op naar de waterstraal. En nu draaide hij zich om…

Ondertussen bleef hij zingen.

'Alle maanden op een rij… Luister jij nu eens naar mij… Januari, bar en boos, heel veel wind, wat is er loos… Februari, zo kort en snel, verdwijnt gewoon weer in een tel… Maart roert zijn staart, dus staat er regen op de kaart… Kijk daar is april, de maand dat ik weer naar buiten wil… In mei kun je al zonder jas, lekker spelen in het gras…'

Hij zong met tegenzin, alsof hij saai huiswerk zat te maken. Op zoek naar een idee keek hij om zich heen, maar zonder veel hoop. Het monster was heel slim…

Wacht even!

Vlak buiten de badkamer! Daar lag zijn redding.

'Zingen!' riep het monster uit de douche.

Leonardo schrok op en ging verder met het liedje:

'Juni, hiep hiep hoera, de laatste dag dat ik naar school toe ga… Juli en augustus, grote vakantie, lekker vrij… Maar in september is dat weer voorbij… In oktober zitten we in de klas te dromen… En in november vallen de blaadjes van de bomen…'

Onder het zingen kon hij zijn ogen niet van het felbegeerde voorwerp afhouden.

De telefoon.

Die lag vlak buiten de badkamer, op een piepklein tafeltje in een hoek van de hal met de vier deuren.

Hoezo had hij die niet eerder gezien? Stom, stom, stom.

Zonder op te houden met zingen – 'Gelukkig komt dan december eraan, met Kerstmis, cadeautjes en volle maan!' – draaide Leonardo zich om en keek naar de douche. In het tegenlicht, achter het gordijn, zag hij dat de man doodstil met zijn hoofd onder de waterstraal stond. Voorzichtig deed hij een stap achteruit, naar de deur toe. Afwachtend bleef hij staan. Er kwam geen reactie.

'Gelukkig komt dan december eraan, met Kerstmis, cadeautjes en volle maan!'

Nog een stap.

En nog een.

Hoeveel moest hij er nog, voor hij zijn hand kon uitsteken en de telefoon pakken? Zes, zeven?

Nog een.

'Waar ga je heen?'

Het monster stak zijn hoofd niet eens om het gordijn. Hij bleef gewoon onder de douche staan.

'Niet de slimmerik uithangen, Leonardo. Ik ben ouder dan jij en ken alle trucjes.'

Ontgoocheld liet Leonardo zijn hoofd zakken.

'Kom terug en ga door met zingen.'

Leonardo gehoorzaamde. Toen hij weer bij de douche stond, keek hij naar de telefoon, zo ver weg en zo dichtbij tegelijk. Heel even was genoeg geweest om…

'Alle maanden op een rij…' ging hij gelaten verder, 'luister jij nu eens naar mij… Januari, bar en boos, heel veel wind, wat is er loos…'

Onder de douche stond de man van het warme water te genieten. Hij legde zijn hoofd in zijn nek, zodat het water over zijn gezicht liep en kwam toen even onder de straal vandaan om te luisteren. Hij hoorde een stem zingen: 'Juli en augustus, grote vakantie, lekker vrij… In september is dat weer voorbij…'

Leonardo bleef zingen. De man wilde net zijn hoofd weer onder de straal steken, toen iets hem deed aarzelen. Hij hield zijn adem in om beter te kunnen luisteren.

'In oktober zitten we in de klas te dromen… En in november vallen de blaadjes van de bomen…'

De stem werd steeds lager. Het was alsof hij langzamer ging…

Onmiddellijk greep de man het gordijn en hij rukte het uit de rails. Hij keek naar buiten.

Op de grond lag een kleine memorecorder. Uit de luidspreker klonk Leonardo's stem, grotesk vervormd, steeds lager en steeds langzamer.

'Geeeeluuuukkig kooomt daaaaan deeeeeeeceeeeeembuuur eraaaaaan, met Kooorstmaaaaaaaas, caaaaaaaadooooootjuuuuuuus eeeeeen vooooooolluuuuu maaaaaaaaaaaaaaan!'

De man keek op. Leonardo stond verderop, naast het tafeltje met de telefoon. Zwijgend keken ze elkaar aan.

Leonardo staarde naar het monster en kon wel door de grond zakken. Op zijn recorder knipperde het rode lampje. Waarom had hij de batterijen niet vervangen toen hij daar de tijd voor had? Papa noemde hem terecht een sufferd...

Leonardo verwachtte dat de man in woede zou uitbarsten. Hij trok zijn schouders vast op om zijn hoofd tegen eventuele klappen te beschermen.

Geheel tegen zijn verwachting in bleef het monster hem met een vage glimlach om zijn mond aankijken. IJzig kalm deed hij de kraan dicht en stapte onder de douche uit.

Leonardo keek naar de grond, zowel uit schaamte als uit besluiteloosheid. Wat moest hij nu doen? De telefoon was twintig centimeter bij zijn hand vandaan. De man stond een paar meter verderop. Misschien had hij genoeg tijd om de hoorn te pakken, het nummer van de politie te draaien en om hulp te roepen. Nee, iets zeggen zou vast niet meer lukken. Maar misschien was een telefoontje voldoende. Een telefoontje waarin niets gezegd werd, zou de argwaan van de politie wekken. Dan stuurden ze vast iemand langs om een kijkje te nemen.

Misschien.

Leonardo keek weer naar de man, om te zien wat die deed. Van een haakje aan de muur had hij een witte badjas – die van papa – gepakt en aangetrokken. Hij was langer en de mouwen reikten maar tot halverwege zijn onderarmen. Het mes had hij in de zak gestopt. Rustig droogde hij zijn benen af, zijn armen en zijn borst. Toen trok hij de capuchon over zijn hoofd en wreef zijn haar droog, dat nu loshing.

'Nou, ga je niet bellen?'

Verbaasd keek Leonardo hem aan.

'Je bent toch helemaal tot daar gekomen? Knap, hoor. Goed

gedaan. Je hebt fantasie. Nu hoef je alleen nog maar te bellen.'

Terwijl hij nauwlettend de bewegingen van het monster in de gaten hield, pakte Leonardo de hoorn op. Voorzichtig – klaar om te vluchten, mocht dat nodig zijn – bracht hij hem naar zijn oor. Toen stak hij zijn hand uit om het nummer te draaien. Bijna was het hem gelukt…

'Laat maar, Leonardo. Ik ben ook slim geweest. Ik heb de draden eruit getrokken.'

Met ingehouden adem luisterde hij of hij de kiestoon hoorde, maar er kwam geen geluid uit. Dood.

'We zijn alleen. Niemand kan je helpen.'

Gehuld in de badjas kwam de man dichterbij. Zachtjes pakte hij het toestel uit Leonardo's hand en legde het op het tafeltje.

'Trek het je niet aan. Je hebt het geprobeerd en het is niet gelukt.'

Hij legde een hand op zijn schouder.

'Kom, we gaan terug naar de kamer.'

Het zou hem lukken

Zijn vader lag een paar centimeter van waar ze hem hadden achtergelaten. Kennelijk had hij geprobeerd zich los te wringen terwijl zij in de badkamer waren, maar zonder succes. Zijn voorhoofd glinsterde van het zweet en hij hijgde. Op de achtergrond klonken de zwoele jazztonen (van 'Georgia on My Mind' op dat moment) in schril contrast met de situatie waarin zij zich bevonden. De man deed de stereo uit en keek minachtend op de vader neer.

'Wou je een tochtje maken?'

Met zijn vinger streek hij over het plakband, om het goed aan te drukken. Hij trok een paar keer aan het touw om de knopen te controleren – wat een gesmoord gejammer aan zijn vader ontlokte. Op dat ogenblik flikkerde de terracotta schemerlamp één keer fel en sprong toen uit. De kamer verzonk in halfdonker met nog maar één muurlamp die brandde.

De man zuchtte en liep naar de schemerlamp. Hij tilde hem op aan het voetstuk en hield hem ondersteboven. Hij stak zijn vinger in het gat waar de draden uit liepen, friemelde even en de lamp sprong weer aan.

'Altijd hetzelfde probleem…' mompelde hij, terwijl hij de lamp weer op zijn plaats zette.

Leonardo, die zijn bewegingen had gevolgd, hield zijn adem in.

Altijd hetzelfde probleem...

Het was een lamp die papa op de donderdagmarkt had gekocht, die was gemaakt door... Maar natuurlijk! De natte kleding, de helikopter van de kustwacht... Nu werd alles duidelijk.

De man zag meteen waar hij aan dacht.

'Het was een flink stuk zwemmen, dat kan ik je verzekeren,' zei hij glimlachend.

Leonardo beefde van angst en van een vreemd soort opwinding.

Een ontsnapte gevangene... Bij hen in huis... Een echte ontsnapte gevangene... Uit de *extra beveiligde gevangenis*...

Papa zuchtte diep door zijn neus, maar hij snapte niet waarom. Was het van de spanning? Uit bezorgdheid? Angst? Hij wist het niet. Bijna leek het wel een zucht van berusting. Hij voelde zich schuldig. Hij was echt een domme jongen, zoals papa altijd zei. Hij was maar aan het fantaseren over gevangenissen, terwijl die gemene, gewelddadige man duidelijk zowel hem als zijn vader ging vermoorden.

Met een plotselinge vastberadenheid keek hij naar de ontsnapte gevangene.

Hij moest hen redden. Hij wist nog niet hoe, maar het zou hem lukken.

22 UUR

Terug naar vroeger

Leonardo zat in de leunstoel. Voor hem op de bank lag de ontsnapte gevangene met de witte badjas aan. Zojuist had hij nog uitgeput geleken, maar nu was de man weer vol energie. Zijn ogen glommen van vastberadenheid.

'Zo,' zei hij en hij schudde zijn nog vochtige haar. 'Nu is de situatie voor iedereen duidelijk.' Hij wierp een blik op Leonardo's vader, die nog steeds op de grond lag. 'Nu weten we tenminste waar we aan toe zijn, waar of niet, Leonardo?'

Hij knikte, zoals hij zou doen als papa hem een of andere onbegrijpelijke grammaticaregel uitlegde, maar daar nam de man geen genoegen mee.

'Waar of niet, Leonardo?' drong hij aan.

'Jawel.'

'Jawel, Roberto. Zo heet ik.'

'Jawel, Roberto.'

In Leonardo's hoofd zwommen de twijfels rond als goudvissen in een kom. Hij kende de kust onder de villa op zijn duimpje en hij wist dat het heel moeilijk was, vooral met ruwe zee, om daar uit het water te komen, zelfs met behulp van de metalen trap die papa tegen de rots had laten bevestigen – als de ontsnapte gevangene die tenminste had gevonden, in het schemerdonker van de zonsondergang. Uit open zee komen betekende dat je een heel goede zwemmer moest zijn met snelle reflexen. Je moest je op de juiste golf laten meevoeren, je door de stroming laten leiden en het tij kunnen weerstaan. Je moest snel en doelbewust zijn. Zelf had hij het nog nooit geprobeerd: veel te eng vond hij dat. Maar papa had hij het meerdere malen zien doen: als een vliegende vis sprong die uit het water en landde lenig als een acrobaat op de rotsen.

Dat was niet het enige dat hem dwarszat. Een goede zwemmer kon dat wel. Maar hij wist dat de man met een paar armslagen op een veel makkelijker en veiliger plek aan land had kunnen komen. Een paar honderd meter links van het huis lag namelijk een klein kiezelstrand in een opening in de rotswand. Daar was het altijd makkelijk om uit het water te komen. Vanaf het strand kon je weliswaar onmogelijk direct de villa bereiken, want de rotswand liep loodrecht omhoog, maar er was een paadje waarlangs je in een of twee uur naar Framura kon lopen. Zou de man, voordat hij die gevaarlijke plek op de rotsen had gekozen, niet eerst een makkelijker plek hebben gezocht? Of misschien had hij die in het donker niet gezien?

Roberto boog zich over naar Leonardo.

'Ik moet een paar dingen weten. Ten eerste, hoe kan je hier komen? Over land, bedoel ik.'

De vraag was aan hem gericht. Hij zweeg onzeker. Het leek wel alsof de ontsnapte gevangene de aanwezigheid van zijn vader negeerde. De plotselinge verantwoordelijkheid bracht Leonardo in de war. Hij draaide zich naar papa toe.

'Niet naar hem kijken,' greep Roberto in. Met een strelend gebaar duwde hij zachtjes zijn hoofd terug.

'Hij kan je niet helpen. Ik wil het van jou horen, Leonardo: hoe kom je bij dit huis?'

Hij kon de man niet blijven aankijken. Wat moest hij doen? Eerlijk antwoord geven? Liegen? Wat was het beste? Hij probeerde een keuze te maken, maar was te verward. Alsof hij door de mist liep te dwalen, zo'n herfstmist uit zee die het hele huis omringde.

'Door de tunnel,' antwoordde hij toen eerlijk.

'Door de tunnel?'

'De tunnel van de trein.'

Roberto keek stomverbaasd.

'Bedoel je een spoortunnel? Hoe dan? Tussen de ene trein en de andere door?'

Leonardo schudde zijn hoofd.

'Het is een verlaten tunnel. Jaren geleden hebben ze het spoor naar boven verplaatst, zodat hij niet meer door het dorp loopt. En nu is de tunnel leeg. Papa zegt dat...'

Het monster zuchtte geïrriteerd.

'... papa zegt dat de man die deze villa heeft laten bouwen de laatste treinen heeft gebruikt om de spullen te lossen die hij nodig had. Toen hebben ze de rails weggehaald, en aarde op de bodem gestort. Nu kun je er met de auto doorheen...'

Leonardo haalde diep adem, alsof hij ergens tegen opzag.

'... of lopend.'

De ontsnapte gevangene luisterde heel geïnteresseerd.

'Dus je moet door een verlaten treintunnel? En dat is de enige manier om hier te komen?'

Leonardo knikte.

'Is er geen paadje? Of een andere weg?'

Leonardo schudde van nee.

'En van de tunnel naar het huis?'

'In de tunnelwand zit een gat. Afgesloten door een hek. Van daaruit loopt een in de rots uitgehakt paadje naar het huis.'

De man overdacht de situatie.

'Hoe lang is die tunnel?'

Hulpeloos keek hij hem aan.

'Hoe lang?' drong de ontsnapte gevangene aan.

Hij wilde zijn mond opendoen om antwoord te geven, maar twijfelde. Misschien...

'Nou?'

'Ongeveer… vijftien hectometer.'

Het monster barstte in lachen uit.

'Vijftien hectometer? Een hectometer? Wat is dat nou in godsnaam?'

Leonardo bloosde. Hij had gedacht dat hij een goede indruk zou maken. Papa zaagde hem dagelijks door over verschillende eenheden: grammen, kilometers, deciliters en decameters. Waarom moest die vent nou lachen?

'Een hectometer is honderd meter,' antwoordde hij geërgerd.

'O, sorry… Eens even kijken, vijftienhonderd meter… Anderhalve kilometer dus.'

Het leek alsof de ontsnapte gevangene de informatie even moest verwerken.

'En aan het einde van de tunnel, wat is daar?'

'Het dorp.'

'Groot of klein, wat voor dorp is het?'

'Dat weet ik niet…'

'Hoeveel inwoners heeft het?'

Leonardo dacht na. Papa had hem een keer verteld dat Mexico Stad de grootste stad ter wereld was, met eenentwintig miljoen inwoners. Hij had ook gezegd dat er geen enkele stad even groot was. Nou, dan misschien…

'Een miljoen.'

'Een miljoen? Bedoel je dat er een miljoen mensen wonen?'

Leonardo probeerde de ongelovige uitdrukking op het gezicht van de ontsnapte gevangene te interpreteren. Hij had het vast mis, maar hoeveel…

'Twee?' zei hij, op een licht vragende toon.

'Twee miljoen… Luister eens, Leonardo. Kun jij lopend het dorp door?'

Hij knikte.

'En hoe lang doe je daarover? Kort? Lang?'

Kort… lang… Leonardo was in de war. Waarom hadden volwassenen toch altijd zoveel belangstelling voor maten en hoeveelheden?

De ontsnapte gevangene schudde zijn hoofd.

'Oké, luister. Ik stel je een makkelijkere vraag. Is er een politiebureau in het dorp?'

Eindelijk iets eenvoudigs. Leonardo knikte geestdriftig.

'Met hoeveel agenten?'

'Twee of drie, dat weet ik niet.'

'En een hoofdinspecteur?'

'Ja.'

De hoofdinspecteur. Door die vraag werd hij plotseling aan het geruststellende bestaan van de politie herinnerd. De oude hoofdinspecteur in uniform had hij altijd aardig gevonden, vooral die keer toen… Ineens voelde Leonardo zich wegglijden, steeds verder, terug naar vroeger.

Lang geleden…

Boven de zee staat een heldere maan hoog aan de hemel. Leonardo zit gehurkt tegen een rotsblok en kijkt er geboeid naar. Hij wist niet dat de maan zo groot kon zijn… nog groter dan de zon. En wat een licht! Leonardo draait zich om en ziet in het gras duidelijk zijn eigen schaduw. Net zo'n schaduw als van de zon! Of misschien ook niet. Was de schaduw van de zon niet anders dan die van de maan? Trouwens, dat moest wel: het zijn schaduwen van verschillende materialen, ook al lijken ze op elkaar. Alsof je zout en suiker door elkaar haalt: ze lijken op elkaar, tot je ze proeft. Gelukkig had mama…

Leonardo maakt zijn gedachtegang niet af. Van dat laatste woord krijgt hij het te kwaad. Mama… Zachtjes begint hij te huilen. Niemand kan hem zien, laat staan horen. Hij zit op het pad naar Levanto, een oude Romeinse weg, met hier en daar een antieke steen tussen de struiken. Leonardo zit precies op de top, tussen twee baaien in. Iets lager staat de villa van de Amerikanen, die een oud landhuis in oorspronkelijke staat hebben opgeknapt en er een gloednieuw zwembad bij hebben aangelegd. In het dorp wordt er veel over gesproken, maar hij heeft die Amerikanen nog nooit gezien.

Hij zit met zijn rug tegen de rots aangedrukt, zijn gezicht is nat van de tranen en hij heeft alleen een dun, wit T-shirtje aan. Leonardo heeft geen puf meer om verder te lopen, maar ook geen zin om terug te gaan. Hij zit op zijn kleine, blauwe rugzakje. Wanhopig en in de war. Het is eind maart. Overdag is het al warm, maar 's avonds staat er nog een koele wind. Hij heeft kippenvel gekregen en slaat zijn armen om zijn benen om het een beetje warmer te krijgen.

'Leonardo!'

Wordt hij geroepen? Of verbeeldt hij het zich? Hij trekt zijn schouders hoog op, alsof dat hem minder zichtbaar zou maken.

'Leonardo!'

Nu klinkt de stem dichterbij. Wie kan dat zijn? Leonardo zou wel even om het hoekje willen kijken, maar dan zonder gezien te worden.

'Leonardo...' Nog dichterbij.

Hij gaat op de grond liggen en kruipt een stukje vooruit, net voldoende om zijn hoofd om de rots te steken.

'Leonardo!'

Met een ruk kijkt hij op. Hoog boven hem uit torent een gestalte.

'Daar ben je dan eindelijk,' zegt de volwassene. Zijn stem klinkt aardig en zonder verwijt.

Toch wil Leonardo opstaan en wegrennen, maar een grote hand grijpt hem vast voor hij een stap kan zetten.

'Wacht even. Luister eens.'

Leonardo draait zich om en dan herkent hij hem. Het is de oude hoofdinspecteur van het politiebureau in het dorp. Hij moet minstens honderdvijftig jaar oud zijn. Voor Leonardo is hij een soort opa. Hij weet dat hij van hem niets te vrezen heeft.

De hoofdinspecteur komt bij hem op de grond zitten, zonder uit te kijken of hij vies wordt, zoals volwassenen dat altijd doen. In de maneschijn is de rode streep op zijn uniformbroek goed te zien.

'Kom eens hier, Leonardo. Vertel eens.'

Hij twijfelt, maar besluit dan hem te vertrouwen. Hij kruipt dicht tegen hem aan en de hoofdinspecteur merkt dat hij rilt van de kou. Dus trekt hij zijn jasje uit en legt dat over zijn schouders. Bij Leonardo lijkt het jasje wel een lange cape, waar zijn tengere beentjes met gympjes onder uitsteken.

'De meester op school zei dat je niet bij Engels was...' zegt de hoofdinspecteur en knikt naar het rugzakje.

Leonardo zegt niets, maar vanbinnen is hij woedend. Vuile verklikker! Het lijkt alsof de hoofdinspecteur zijn gedachten kan raden, want hij gaat verder: 'Hij was alleen maar bezorgd, en bang dat er iets was gebeurd.'

Hij luistert al niet meer: in zijn hoofd schrapt hij de meester van zijn – toch al korte – lijst met mensen die hij kan vertrouwen.

'Kom, Leonardo, laten we naar huis gaan,' spoort de hoofdinspecteur hem aan, maar hij schudt zijn hoofd en kijkt naar de grond.

'Ik ga mama zoeken.'

De agent knikt begrijpend.

'Mama is weg, Leonardo, dat weet je. Heel ver weg.'

'Dat geeft niet. Ik ga d'r toch zoeken...'

Daarom was hij weggelopen: om naar Levanto te gaan, waar niemand hem kent, en zo'n snelle trein te nemen naar de grote stad, waar hij mama zeker zal vinden. Maar nu hebben de woorden van de hoofdinspecteur zijn vaste voornemen aan het wankelen gebracht.

'Hoe weet u dat ze weg is?'

'Ik heb haar gezien.'

'Mijn moeder?' Hij kan het zich niet voorstellen dat iemand meer van haar weet dan hij.

'Ja, in het dorp. Ze kwam uit een winkel waar ze een hele grote koffer had gekocht. Ik vroeg haar of ze van plan was op reis te gaan en zij antwoordde dat ze naar Londen ging, en daarna naar Australië, en dat ze voorlopig niet thuis zou komen. Ze zag er verdrietig uit.'

Leonardo is verbijsterd. Zijn teleurstelling over de bevestiging – en nog wel van een vreemde! – dat mama uit vrije wil is weggegaan vermengt zich met schaamte. In het dorp weet iedereen het nu dus… Hij heeft geen moeder meer. Wat zullen de andere kinderen hem pesten!

'Weet je, Leonardo, soms doen volwassenen dingen die kinderen niet begrijpen, maar ik weet zeker dat als je later groot bent…'

Altijd hetzelfde liedje: als je later groot bent… Hij heeft geen zin om te wachten tot hij groot is. Hij wil zijn moeder nu!

De politieagent wil hem een aai over zijn bol geven, maar hij trekt zijn hoofd weg.

'Je moet je erbij neerleggen, Leonardo. Je moeder is weg en daar kun je niets aan doen. Misschien komt ze terug en misschien ook niet. Maar één ding is zeker: ze zal altijd van je blijven houden.'

Hij pakt hem onder zijn oksels beet en tilt hem op. Eerst stribbelt Leonardo tegen, maar dan geeft hij zich over. Terwijl hij gaat staan en het pad afloopt met de arm van de hoofdinspecteur om zijn schouders, branden de tranen in zijn ogen. Want Leonardo weet wat niemand anders kan vermoeden: het is zijn schuld dat mama is weggegaan. Ze had namelijk gehoopt dat hij een beroemd wetenschapper zou worden, een professor misschien of een groot schrijver, maar hij kan niet eens leren lezen…

'Kom maar, Leonardo,' herhaalt de politieman steeds weer op bezwerende toon, zich nergens van bewust. 'We gaan naar je vader, die is heel ongerust. Ik weet wel dat hij een beetje streng is, maar dat doet hij alleen omdat hij van je houdt, dat moet je nooit vergeten. En bovendien…'

De hoofdinspecteur maakt zijn zin niet af, maar Leonardo weet precies wat hij wil zeggen: en bovendien is hij de enige die ik nog heb.

Speel jij?

'En de andere kant op?'

Leonardo keek naar de ontsnapte gevangene. Het kostte hem moeite scherp te zien. Hij kon zich maar nauwelijks uit het verleden losmaken: net als bij een half uitgetrokken plant, waarvan de wortels zich blijven verzetten.

'Wat?'

'De tunnel, de andere kant op. Hoe lang is die?'

'Dat weet ik niet. Nog veel langer...'

'Dus we zitten hier volledig geïsoleerd?'

Leonardo knikte. Hij was weer terug in het heden, in de woonkamer, met papa vastgebonden op de grond en dat monster naast hem. Maar de dramatische situatie had iets nieuws gekregen, iets akeligs...

'Dus niemand kan in de buurt komen zonder dat wij het merken. Het hek zit op slot, hè?'

'Ja, en de sleutel hebben wij.'

'En als er iemand met een boot van zee komt, horen we de motor.'

Plotseling begreep Leonardo wat er aan de hand was. Uit schaamte sloot hij zijn ogen. Hij had een fout gemaakt. Hij had de ontsnapte gevangene een gevoel van veiligheid gegeven. En dat betekende – begreep hij in een flits – dat de man geen enkele reden had om weg te gaan. Misschien was hij eerst van plan geweest een paar uur te blijven, om uit te rusten. Maar wie weet hoe lang hij nu zou blijven. En dat was zijn schuld.

Leonardo deed zijn ogen weer open. Hij keek om zich heen. Waar was de ontsnapte gevangene gebleven? Was hij weggegaan?

Maar nog voor er een hoopvolle glimlach op zijn gezicht was verschenen, zag hij hem aan de andere kant van de kamer zitten. Achter de vleugel.

'Speel jij?' vroeg de man.

Papa's mobieltje

Roberto keek naar de toetsen.

'Wat heb ik lang niet gespeeld… Kom eens hier, Leonardo.'

Hij gehoorzaamde en ging naast Roberto staan, die op de pianokruk zat.

Zachtjes streelde Roberto de toetsen, maar hij drukte ze niet in, alsof hij eerst weer moest wennen. Toen hield hij zijn hoofd schuin en begon te spelen. Hij improviseerde, met veel trillers en dissonanten, en gebruikte alle toetsen, van laag naar hoog.

'Speel jij?' vroeg hij weer.

Zonder antwoord te geven, boog Leonardo zich over het klavier. Noot voor noot herhaalde hij wat Roberto zojuist had gespeeld. Die stond perplex.

'Wat knap!'

De ontsnapte gevangene improviseerde nog wat, dit keer een moeilijker en ingewikkelder stuk, zonder herkenbare melodie. Leonardo speelde het onmiddellijk na.

'Hoe doe je dat?' vroeg Roberto. 'Dit heb ik nog nooit gezien.'

Leonardo tikte met zijn wijsvinger tegen zijn hoofd.

'Het komt door mijn hersenen. Papa zegt dat die een beetje raar zijn.'

'Wat bedoel je?'

'Ik heb moeite met lezen. En met schrijven. Het is net alsof ik de letters niet herken. Iedere keer moet ik weer aan een vorm denken, weet ik veel, de P van pan en zo. Dat is een trucje dat ik heb geleerd.'

'Ben je dyslectisch?'

Hij knikte.

'Ik ben al bij heel veel dokters geweest. Sommigen zeggen dat er niks aan te doen is, dat ik maar met een computer moet leren schrijven. Anderen zeggen dat er iets in mijn hoofd zit, een herinnering aan een gebeurtenis van toen ik klein was, die me op de een of andere manier blokkeert.'

'En weet je wat het is?'

Leonardo haalde zijn schouders op.

'Nee, en het kan me ook niet schelen. Bovendien…'

'Ja?'

'De dokters zeggen dat ik dan wel moeite heb met lezen en schrijven, maar dat ik goed ben in andere dingen. Zoals bijvoorbeeld mijn geheugen. Ik vind het moeilijk om rijtjes te leren zoals de maanden van het jaar of zo. Elke keer kost dat me weer vreselijk veel moeite. Maar met muziek… Het lijkt wel alsof de noten door mijn oren mijn hoofd binnenkomen en daar een partituur vormen. En die hoef ik dan alleen nog maar te lezen. Ieder stuk dat ik hoor, kan ik direct naspelen.'

'Dit ook?' vroeg Roberto glimlachend. 'Ga even lekker zitten en luister.'

Hij speelde een eenvoudige melodie van weinig noten en zonder akkoorden. Op een gegeven moment bleef hij haken, ging terug en speelde dezelfde melodie opnieuw, alsof hij de weg zocht in een buurt waar hij lang niet was geweest. Toen hij de basis van de melodie weer had gevonden, begon hij opnieuw en begeleidde zichzelf met akkoorden.

En hij zong.

Leonardo was met stomheid geslagen.

Roberto's stem was laag en zacht. Het was zo'n stem waarvan de schoonheid bij het zingen pas echt tot uitdrukking kwam.

Maar dat was niet het enige.

Leonardo liet zich onderuitzakken in een leunstoel. Hij luisterde, verward en geboeid tegelijk.

Kosmische stof,
haat in concentraten,
mama, waarom heb je mij alleen gelaten?
Achter het raam
zit jouw nieuwe kind
en ik ben nu de kiem
van een menselijker regime.
Dit is het geheim van mijn vliegkunst:
door liefdeloosheid word ik gestuurd,
als een pijl door de hemel.
Het bedrog heeft lang genoeg geduurd.
Wat God voor mij overlaat
is alleen maar haat, haat, haat.

Het leek alsof Roberto alle besef van zijn omgeving had verloren. Hij was geen gevangene meer die zwemmend was ontsnapt. Hij was een artiest geworden, iemand die in staat was gevoelens over te brengen.

Hij speelde een paar akkoorden en begon aan het tweede couplet.

Volwassenen, opgepast
vluchten is zinloos, dat staat vast.
Jullie verspreiden geen liefde,
maar heersersgedrag:
spot, angst en gezag.
Kom hier, luister, zwicht,
blijf af, zit stil en hou je mond dicht,
kijk uit, doe meer dan je kan,

straks mag je spelen, wanneer is dat dan?
Kinderen stinken, zijn vies, maken rommel.
Onze missie is simpel:
wij zijn geen soldaatjes,
wij zijn niet van steen,
verander ons niet,
verwissel ons niet,
nog geen een.

Roberto speelde een variatie op de melodie en improviseerde
een beetje. Toen nam hij het muzikale thema weer op.

Jullie zijn geen ouders,
maar wrede leiders.
Jullie hebben ons beroofd
van het mooiste in ons hoofd.
Nu is het te laat, kijk,
het leger van de kinderen rukt op.
Het uur van de revolutie
slaat nu voor altijd.
Jullie vinden geen absolutie,
geen redding, ontsnapping of troost.
Jullie eigen kroost
valt aan in de rug,
met bekers als messen
en gif in zuigflessen.
Op gympjes rukken wij op
en maken alles kapot:
economie, justitie en onderwijs.
Niemand ontsnapt aan onze reis.
Jullie zullen geluidloos verdwijnen,
want de tijd van de grote mensen is voorbij.
De toekomst is van de kinderen en dat zijn wij.

Plotseling stopte Roberto met spelen, alsof iets hem had gestoord. Hij deed zijn ogen dicht.

'Hoe ken je dit liedje?' vroeg Leonardo, toen de laatste noot was weggestorven.

'Hoezo?'

'Omdat papa het geschreven heeft.'

'O ja? Dan zal ik het wel ergens gehoord hebben…'

'Nee, dat kan niet,' zei Leonardo achterdochtig. 'Hij heeft het nog nooit voor publiek gespeeld. Ik ben de enige die het al heeft gehoord. Het staat op zijn nieuwe cd en die komt vandaag pas uit.'

'Echt waar? Schrijft jouw vader liedjes?'

Leonardo knikte trots.

'Hij is de allerbeste.'

'En waar gaan ze over?'

'Over Peter Pan. Niet precies zoals de film, maar wel over Peter Pan, Kapitein Haak, Tinkelbel en alle anderen. Hoe kun jij dat liedje nou kennen?'

Roberto glimlachte raadselachtig. Maar Leonardo had geen tijd om door te vragen. Er kietelde iets onder zijn linkerbovenbeen.

Wat was dat? Hij tilde zijn been op.

Eronder lag papa's mobieltje.

Hij had weer hoop gekregen

Het mobieltje lag tussen de kussens en hij was erbovenop gaan zitten. De komst van een sms'je had een trilling veroorzaakt – maar gelukkig geen gepiep.

Met bonzend hart deed Leonardo zijn been omlaag om het toestel verborgen te houden.

Hij keek naar de ontsnapte gevangene.

Had die iets gemerkt?

De man zat volledig in gedachten verzonken, met zijn ogen gericht op de lege muziekstandaard van de piano. Hij zag er onzeker uit. Dat verbaasde hem: tot nu toe had Roberto zo'n vastberaden vent geleken.

In ieder geval wekte hij niet de indruk het mobieltje – een Nokia 6230 – dat onder zijn been lag te hebben opgemerkt. Maar de man had hem al eerder voor de gek gehouden, in de badkamer. Leonardo had zijn lesje geleerd.

Hij bleef heel stijf zitten. Zo onnatuurlijk dat Roberto, toen die naar hem opkeek, vroeg: 'Wat is er?'

Leonardo slikte.

'Niets…'

De ontsnapte gevangene stond op en kwam naar hem toe gelopen.

'Zeker weten?'

Nu ziet hij het, dacht Leonardo. Ik weet het zeker. Nu ziet hij het.

Het monster stak een hand naar hem uit.

Nu duwt hij mijn been opzij en pakt hij de telefoon.

Op het laatste moment ging de hand echter een andere kant op. In plaats van zijn been te pakken, aaiden de vingers liefdevol over Leonardo's hoofd.

'Wees niet bang. Ik wil je geen kwaad doen. Ik moet alleen een beetje uitrusten. Maak je geen zorgen.'

Heel zachtjes zuchtte Leonardo van opluchting.

Roberto liet zich in een leunstoel vallen. Met zijn blik volgde Leonardo hem, maar hij probeerde daar tegelijkertijd niets van te laten merken. Hij was doodsbang dat de telefoon ineens zou gaan, en zijn nieuwe hoop de grond in zou boren. Stilletjes bad hij dat niemand het idee zou krijgen om papa juist op dat moment te bellen. De telefoon was zijn laatste hoop op redding.

Eindelijk sloot Roberto zijn ogen, alsof hij aan zijn moeheid en onzekerheid bezweek. Leonardo maakte direct gebruik van de situatie om de Nokia in de zak van zijn badjas te laten glijden. In een tel, een oogwenk, een snelle beweging. Toen de ontsnapte gevangene zijn ogen weer opendeed, was het net alsof er niets was gebeurd.

'Ga even wat droge spullen halen. Ik wil me aankleden. Hij,' zei hij en hij wees naar Leonardo's vader, 'is wel kleiner dan ik, maar dat maakt niet uit.'

Leonardo sprong overeind, en vervloekte onmiddellijk zijn haast. Hij moest zich op een natuurlijke manier gedragen, en niets van zijn ongeduld laten blijken. Hij stond stil.

'Mag ik me ook aankleden?'

'Vooruit dan, maar geen geintjes, hè?'

Leonardo rende door de gang. Toen hij halverwege was, het mobieltje hield hij in zijn zak al stevig vast, klonk de stem van de ontsnapte gevangene.

'Je moet binnen drie minuten terug zijn, anders hak ik hem in mootjes. Begrepen?'

Leonardo keek op het schermpje van de telefoon hoe laat het was: 22.18 uur. Drie minuten waren genoeg. Zo dadelijk zou hij de politie bellen en dan zouden ze het monster komen ophalen. Deze enge nacht zou een avontuur worden om aan de jongens in het dorp te vertellen, die hem bij het voetballen altijd in het doel lieten staan. Wie weet, misschien kwam het zelfs wel in de krant.

Leonardo schoot de trap op naar boven en glipte zijn kamer in. Hij liet de deur op een kier staan, zodat hij het zou horen als er iemand aankwam. Eindelijk kon hij de telefoon uit zijn zak halen. Op het schermpje stond het icoontje dat aangaf dat er een berichtje was binnengekomen. Daar zou hij later wel naar kijken. Nu moest hij eerst de politie bellen.

Hij toetste het nummer in dat papa hem al vroeg uit zijn hoofd had laten leren. Net op dat moment verlichtte een bliksemflits de hemel. Het geluid van de donder rolde op hem af. Instinctief keek Leonardo op. Nog een flits en weer een donderslag. De storm kwam dichterbij. Niet ver naar het oosten, in de richting van het dorp, regende het misschien al.

Maar hij moest zich nu niet laten afleiden en zich alleen concentreren op de telefoon. Hij draaide het nummer en bleef wachten, met het toestel aan zijn oor.

Aan de ruis hoorde hij dat er nog geen verbinding was gemaakt. Papa had het uitgelegd: de telefoon zond een signaal naar de dichtstbijzijnde zendmast om verbinding te krijgen met het netwerk. Over een paar tellen zou de politie opnemen...

Het bleef stil.

Rustig blijven, hield Leonardo zichzelf voor. Gewoon rustig blijven.

Het was nog steeds stil.

Leonardo keek op het schermpje. Er stond iets op. Haastig probeerde hij de letters te ontcijferen. Een G, een E, nog een E, een N...

Geen.

N, E, T...

Netwerk.

Leonardo maakte het zelf af. Hij wist wat er stond, want papa had het vaak voorgelezen, als ze ergens op de rotsen aan het vissen waren.

Geen netwerk.

Leonardo werd zenuwachtig.

22.19 uur.

Opnieuw toetste hij het nummer in.

Terwijl hij weer op verbinding wachtte, schoot er heel dichtbij een derde bliksemflits door de lucht. De donder deed het huis schudden.

Leonardo keek op het schermpje.

Geen netwerk.

Hij keek naar de hemel die nog licht was van de bliksem en begreep wat er aan de hand was.

Door het onweer lag het netwerk plat.

Dat gebeurde wel vaker. Sterker nog, dat gebeurde bijna altijd als het noodweer was. De zendmasten op de heuvel werden dan door de wind beschadigd en soms moest je wel een dag of twee, drie wachten voor de monteurs van de telefoonmaatschappij erin klommen en ze repareerden.

Leonardo voelde alle hoop uit zich wegglijden. Zijn armen vielen slap langs zijn lijf. De telefoon hield hij nog in zijn hand. Hij had zin om te huilen. Hij was per slot van rekening nog maar een kind en dit was hem te veel.

Moeizaam kreeg hij zijn gedachten weer op een rijtje. Er bleef niets anders over dan de ontsnapte gevangene te gehoorzamen, en snel ook: hij moest kleren pakken en ze naar beneden brengen. Hij keek op het schermpje hoe laat het was.

22.20 uur.

Ineens schoot hem iets te binnen.

Het sms'je.

Dat kon weleens zijn laatste kans zijn.

Snel drukte hij een paar toetsen in en probeerde woorden te vormen van de tekentjes die voor zijn ogen op en neer dansten. Het was lastig, want ze waren klein en op het minuscule schermpje waren de letters niet volmaakt. Gelukkig was het bericht in hoofdletters geschreven.

Hij keek naar de tijd. 22.21 uur.

Hij probeerde zijn tranen te bedwingen. Dit moest hem lukken. Het was zijn laatste hoop. Het begon met een I. Makkelijk. Dan een K…

'Wat ben je aan het doen?' bulderde de stem van de ontsnapte gevangene van beneden.

'Ik ben kleren aan het zoeken!' riep Leonardo terug zonder zijn blik van het schermpje los te maken. Hij verbaasde zichzelf over dat antwoord. De tijd was om, maar hij negeerde het ultimatum. Hij verbrak de afspraak die een volwassene hem had opgelegd en het kon hem niets schelen.

Het eerste woord was af. Dus…. IK. Ja, ik. Dat had hem maar een paar seconden gekost. Opschieten nu! spoorde hij zichzelf aan. Het tweede woord zag hij meteen. KOM. En het derde ook. OM. Daarna kwam een getal. Simpel: een 6. Dan twee keer U en een R. Dus: ik kom om 6 uur.

Leonardo hield zijn adem in. Ik kom om 6 uur? Wie dan?

Hij keek naar de tijd. 22.22 uur. Hij moest nu echt opschieten. Hij wilde geen argwaan wekken bij het monster, laat staan hem reden geven naar boven te komen.

Een zweetdruppel rolde van Leonardo's voorhoofd op het schermpje van de Nokia, en hij veegde hem met de mouw van zijn badjas weg.

Het volgende woord begon met een L. Dan een E, een G… LEG. Ja, leg. Leg wat? Dan een H, een E, N, G… HENGELS KLAAR. Zo, nu nog maar één woord. V… I…. N… VINCENZO.

Vincenzo!

Dus Vincenzo zou die ochtend om zes uur komen vissen. Het was nu tien uur, tien uur en drieëntwintig minuten om precies te zijn. Nog acht uur dus. Iets minder zelfs. Ook al was alle communicatie met de buitenwereld verbroken, deed de mobiele telefoon het niet en zaten ze helemaal geïsoleerd, hij had toch nog een kans. Hij hoefde alleen maar tot zes uur 's ochtends in leven te blijven. Dat moest hem lukken, koste wat kost. Hij moest dat monster daarbeneden gehoorzamen. Altijd met hem instemmen en hem nooit boos maken. Nog acht uur tot hun redding, want dan zou Vincenzo komen.

'Ik kom eraan!' schreeuwde hij zo hard mogelijk. Hij deed het toestel uit, gooide het in zijn speelgoedkist, raapte zijn kleren en die van zijn vader bijeen en vloog de trap af, want hij had weer hoop gekregen.

Alsof hij aan boord van een raket zat

Leonardo verstijfde bij het zien van het schouwspel dat hem in de woonkamer wachtte. De ontsnapte gevangene zat boven op zijn vader en hield de punt van het mes vlak onder zijn ogen.

'Leg ze daar maar neer,' beval Roberto. Hij knikte naar de kleren en wees op de bank. 'En ga dan weg.'

Leonardo hoorde hem niet eens. Hij kon zijn blik niet losmaken van het mes dat op zijn vader was gericht. Zo wreed kon de ontsnapte gevangene toch niet zijn...

'Heb je me gehoord? Neerleggen en wegwezen.'

Er zat niets anders op dan te gehoorzamen, in ieder geval aan het eerste deel van het bevel. Hij moest tijd winnen. Langzaam liep hij de kamer door. Hij had het gevoel dat Roberto, zolang hij erbij was, papa niet durfde te verwonden. Alsof een soort betovering hem tegenhield.

Leonardo bukte zich en legde heel voorzichtig de kleren op de bank.

'Schiet op.'

Hij negeerde de aansporing. Eerst legde hij de zwarte broek en het witte hemd uit papa's kamer neer en hij lette goed op dat ze niet kreukelden. Toen legde hij met dezelfde overdreven zorgvuldigheid de polo en tuinbroek van spijkerstof ernaast, die hij voor zichzelf had uitgekozen. Elke beweging trachtte hij eindeloos te rekken; hij wist dat hij vanaf nu voortdurend tijd moest zien te winnen.

De ontsnapte gevangene werd ongeduldig. Leonardo zag het puntje van het mes trillen en een flikkering weerspiegelde dansend op de muur.

'Houd jij van je vader?' vroeg Roberto hem ineens.

Leonardo knikte.

'Hij is geweldig, hè?'

Opnieuw knikte Leonardo.

'En hij houdt van jou, nietwaar? Heel veel, stel ik me zo voor. Hij zou alles voor je overhebben …'

Plotseling werd hij losgerukt uit de werkelijkheid. Alsof iemand het volume had uitgedraaid. Hij hoorde en zag niets meer. Hij werd met duizelingwekkende snelheid achteruitgetrokken, en onder hem werd de wereld steeds kleiner, alsof hij aan boord van een raket zat…

Lang geleden... (2)

Hij vliegt. Ja, hij vliegt, net als Peter Pan. Zonder vliegtuig, zonder helikopter en zonder parachute. Hij heeft niet eens vleugels. En toch vliegt hij hoog in de lucht, precies zoals de aanvoerder van de Verloren Jongens. Het is echter geen gewone vlucht: soms verliest hij abrupt hoogte en dan, even plotseling, stijgt hij weer. Maar geen moment is hij bang dat hij neer zal storten. Hoe snel hij ook op de aarde af duikt, hij weet dat hij weer omhoog zal gaan, in de richting van de zon. Op en neer, ongelijkmatig maar kalm, en hij voelt zich buitengewoon gelukkig.

Als hij naar beneden kijkt, ziet hij een grote boom met heel lange takken, vol in het blad. Hij duikt omlaag en kan ze aanraken. Dichter bij de grond komt hij niet, want hij wordt alweer omhooggeslingerd. Tussen het gebladerte ziet hij een ladder, die naar de grond voert. De ladder is gemaakt van één houten paal, waarop onregelmatige haken zijn gespijkerd. Hij is primitief, en een beetje scheef, maar geeft hem toch een veilig gevoel: het is zijn oriëntatiepunt als hij vliegt. Zo, nu is het voorbij: de takken van de boom strekken zich uit en pakken hem vast. Hij zet zijn voet op de bovenste trede en ondanks de enorme hoogte daalt hij onbevreesd af. Hij is buiten adem van de lange, hortende vlucht. Buiten adem, maar zielsgelukkig...

Met een schok wordt hij wakker. Hij is alleen, in zijn slaapkamer met het sterren- en planetenbehang en de oranje kleerkast achterin. De grond ligt bezaaid met poppen, speelkaarten en vuile kleren. Hij heeft een paar seconden nodig om zich bewust te worden van de werkelijkheid. De fantastische vliegdroom is nog overal om hem heen. Het is een droom die vaak terug- komt: het vliegen, de boom en de ladder. En iedere keer geeft de droom hem een gevoel van geluk, en ook een beetje – een klein beetje – van nostalgie, al begrijpt hij nooit waarom.

Blij en hongerig springt Leonardo uit bed. Het daglicht sij- pelt door de kieren van de gesloten luiken. Hij doet de ramen wijd open en de luiken ook. De schoonheid van het uitzicht overvalt hem. De Golf van Genua lijkt wel een leeg glas, zo hel- der is de lucht. Aan de andere kant kan hij net de Bloemenriviè- ra zien.

'Opstaan, Leonardo! Opschieten. Het is al laat.'

De stem komt van beneden. Papa zegt wel duizend keer per dag 'opschieten'. Leonardo heeft moeite met het door grote mensen opgelegde ritme – 'opstaan, wassen, aankleden, over vijf minuten eten, over tien minuten moet je huiswerk af zijn, schiet op, ze wachten op ons, zit je daar nou nog steeds, waar denk je aan, heb je je veters nog niet gestrikt, leg dat speelgoed weg, waar hang je nou weer uit, wat ben je aan het doen, schiet op, het is al laat' – en de obsessie voor maaltijden vindt hij al he- lemaal onbegrijpelijk. Waarom moet hij alles opzijleggen om aan tafel te gaan als hij net lekker aan het spelen is? En waarom moet hij altijd om zes uur thuis zijn? Is het niet veel makkelijker om gewoon te eten als je honger hebt, thuis te komen als het donker wordt en naar bed te gaan als je moe bent?

'Het ontbijt staat klaar!'

Leonardo doet zijn kamerdeur open en rent de trap af. Blij en enthousiast. Hij staat er niet bij stil dat hij nog op blote voeten is.

'Hallo lieverd.' Met open armen wacht mama op hem in de

keuken. Ze geeft hem een lange knuffel.

Zijn vader zit aan tafel en werpt een blik op zijn voeten.

'Trek dan tenminste sokken aan,' bromt hij en hij neemt een slok van zijn koffie.

'Laat hem nou, David,' verdedigt mama hem. 'Ga zitten, dan schenk ik je melk in.'

Zijn vader kijkt hem fronsend aan.

'Ben je verlamd geraakt vannacht? Kun je je eigen melk niet inschenken?'

'Kom op, David, Leonardo is nog maar vijf…'

'Toen ik zijn leeftijd had, Benedetta, maakte ik niet alleen ontbijt voor mezelf klaar, maar voor het hele gezin.'

'En dat zal hij ook doen… als hij zover is.'

Leonardo luistert naar de woordenwisseling tussen zijn ouders en kiest stilletjes partij voor mama. Op haar kan hij altijd rekenen.

Zijn moeder schenkt warme melk voor hem in en schuift de suikerpot naar hem toe. Dan trekt ze een trommel open, pakt er drie of vier koekjes uit en reikt ze hem aan.

'Hier, eet maar lekker op.' Ze glimlacht.

Geërgerd staat David op van tafel. Leonardo zegt niets. Natuurlijk kan hij zelf zijn melk inschenken! Hij kan zelfs koffiezetten… Wat een gezeur, zeg. Het is gewoon heerlijk om je door mama te laten verwennen…

David gaat bij het raam staan, staart lang naar buiten en draait zich dan om naar zijn zoon.

'Vandaag gaan we naar het dorp.'

Leonardo weet niet wat hij daarvan moet denken. Het komt maar zelden voor dat ze met zijn drieën ergens naartoe gaan. Hij weet niet of hij blij moet zijn met het gezamenlijke uitstapje of wantrouwig dat er iets achter zit. Maar het lijkt in orde te zijn, want papa zegt: 'Ik moet even naar het postkantoor en naar de bank. En mama wil een trui kopen. Heb je zin om mee te gaan?'

Leonardo knikt, maar hoedt zich ervoor al te enthousiast over te komen, want dat kan een negatieve reactie uitlokken.

'Goed. Zodra je klaar bent, gaan we.'

Nog geen tien minuten later zitten ze in de auto. Stapvoets rijden ze de donkere tunnel in. Leonardo geniet van het gevoel van zowel gevaar als veiligheid, omdat zijn ouders erbij zijn. Alsof hij in een zee vol haaien is, aan boord van een doorzichtige onderzeeër.

Na een paar minuten komen ze de tunnel weer uit en zet papa de auto op de parkeerplaats die is aangelegd op het oude spoorwegterrein. De woeste wind waait bij alle drie het haar in de war. Als ze op het punt staan het dorp in te lopen, trekt iets Leonardo's aandacht.

Op het zanderige voetbalveld – waar geen sprietje gras groeit – staat ineens een woonwagenkamp, met in het midden een grote caravan, een echt huis op wielen. Van de caravan naar een boom heeft iemand waslijnen gespannen en daaraan hangen nu hemden, ondergoed en broeken wapperend te drogen in de wind. Aan de zijkant van het veld is een rood-met-gouden draaimolen voor kinderen neergezet.

'Kom je?' dringt papa aan. Hij heeft een grote, donkere zonnebril opgezet en een oude hoed.

'Ja, ik kom eraan…' antwoordt Leonardo, maar hij blijft over zijn schouder kijken. Hij kan zijn blik niet van het kamp losmaken.

'Luister,' zegt papa, die zijn belangstelling opmerkt, 'je kunt ook hier blijven kijken, als je dat liever wilt. Ik ga naar de bank, mama naar de winkel… We zien elkaar over tien minuten weer, oké?'

Voor Leonardo instemt, kijkt hij om zich heen. Het dorp is verlaten.

'Goed.'

Papa en mama lopen weg. Hij blijft in de buurt van het kamp

en kijkt wat daar gebeurt, zonder echter de indruk te wekken dat hij aan het rondsnuffelen is: hij gooit met steentjes, tuurt naar een vogel en gaat op een bankje zitten. Maar steeds wordt zijn nieuwsgierige blik weer naar het kamp getrokken.

Op het veld lopen een stuk of vier jongens met een donkere huid en krullend haar te roepen en te rennen. Uit een van de caravans komt een vrouw naar buiten met een opzichtige jurk aan en een rode doek om haar hoofd. Ze begint luid te schreeuwen. Onmiddellijk blijven de kinderen staan. De vrouw stapt de caravan weer in en komt even later weer naar buiten met een blauwe emmer, die ze aan de grootste jongen geeft. Terneergeslagen, omdat ze zijn onderbroken tijdens het spelen, lopen de kinderen het veld af. Ze moeten water gaan halen, raadt Leonardo: in het speeltuintje, vlak daarnaast, zit een fonteintje. Zigeuners... Leonardo speelt met het woord. Wat zou hen bewegen om aldoor onderweg te willen zijn? Het is juist zo fijn in een stevig, stenen huis te wonen met een echt dak boven je hoofd. Alhoewel, als hij erover nadenkt, lijkt het hem trouwens wel fascinerend om op de bedbank van een caravan te liggen, het gordijntje opzij te schuiven en naar buiten te kijken, naar het landschap dat voorbijrolt, kilometer na kilometer...

De vrouw gaat weer naar binnen en de jongetjes verdwijnen uit het zicht. Alles is weer even doodstil als daarvoor. Alleen de kleren aan de waslijn bewegen.

Plotseling ziet Leonardo vanuit zijn ooghoek twee figuren het veld op komen en met stevige pas op de caravan aflopen. Zijn het...? Ja, het zijn papa en mama! Wat gaan die doen? Leonardo verbergt zijn belangstelling niet langer en volgt hen openlijk met zijn blik. Papa loopt snel, maar mama blijft een beetje achter. De deur van de caravan gaat open en de vrouw van zojuist komt tevoorschijn. Papa heft zijn hand op bij wijze van groet en zegt iets. De vrouw geeft antwoord. Leonardo is te ver weg om de woorden op te kunnen vangen. Papa en de vrouw staan nog steeds te praten. Ineens draait papa zijn kant op, hij tilt zijn arm op en wijst... op hem!

Onwillekeurig bukt Leonardo en verstopt zich achter het bankje. Nu staat papa weer naar de vrouw toegedraaid, hij praat nog een paar minuten met haar en komt dan het veld aflopen. Samen met mama komt hij zijn kant op.

Ongerust bestudeert Leonardo hen, want hij begrijpt niet wat ze daar deden. Wat zochten ze daar? Wat wilden ze?

'Hoi,' groet papa net zo nonchalant als altijd. 'Heb je je verveeld?'

Leonardo schudt zijn hoofd. Hij zou graag willen zeggen wat hem dwarszit.

'Heb je het gezien?' vraagt papa en hij wijst op het veld.

Leonardo mompelt wat.

'Gisteravond zijn ze pas aangekomen. Ze hebben hun zaakjes vlug op orde. Heb je die jongens gezien?'

Leonardo antwoordt niet.

'Die hebben pit. Er stond er zelfs eentje te koken.'

Ongerust kijkt Benedetta naar David. Zonder dat Leonardo het merkt, schudt ze snel van nee. Maar David haalt zijn schouders op.

'Ze zijn pienter, die kinderen. Ze gaan misschien niet naar school, maar kunnen zich absoluut redden.'

Leonardo negeert zijn vader. Hij heeft geleerd aan te voelen wat zich tegen hem keert, en dat wil hij liever voorkomen. Maar David gaat onvermurwbaar door.

'En jij bent al zes ...'

'Vijf, David ...'

'Vijfenhalf. Je bent vijfenhalf en je kunt nog niet schrijven.'

'David! Leonardo zit nog niet eens op school!'

'Wat heeft dat ermee te maken? Ik kon al lezen en schrijven vóór ik naar school ging. Niet dat mijn moeder me dat had geleerd, nee, stel je voor. Ik had het mezelf geleerd.'

Even hangt er een vijandelijke stilte. Leonardo wacht af hoe het gesprek verder zal gaan. Hij kent zijn vader en voelt dat hij wat van plan is.

'Mama en ik hebben net even met die mensen staan kletsen.' Leonardo knikt, hij heeft het gezien.

'Een beetje ruw volk, maar wel in orde. Zeg eens, Leonardo, zou jij geen zin hebben in zo'n avontuurlijk leven? Iedere dag op een andere plek, nieuwe mensen leren kennen, niet naar school hoeven...'

Wat wil hij?

'Sommigen leren circusacts. Ze worden acrobaten of misschien zelfs wel olifantdompteurs. Zou jij geen olifantdompteur willen worden, Leonardo?'

Niet-begrijpend kijkt hij hem aan. David loopt naar zijn vrouw en slaat een arm om haar heen.

'Je bent een prima jongen, Leonardo, maar je bent een beetje... slap. Je hebt geen daadkracht. Misschien is dat ook wel mama's schuld, want die verwent je te veel.' Hij schenkt haar een mierzoete glimlach. 'En we zagen je met grote ogen naar hen kijken... Daarom hebben mama en ik bedacht dat het misschien wel goed voor je zou zijn met de zigeuners mee te gaan.'

Leonardo spert zijn ogen wijd open. Met de zigeuners mee? Wat bedoelt hij?

David tovert zijn meest innemende glimlach tevoorschijn.

'Luister, Leonardo. Mama en ik hebben je zojuist aan de zigeuners verkocht. Nou, wat vind je ervan?'

Leonardo heeft een paar seconden nodig om de woorden tot zich door te laten dringen. Dan duikt hij in een opwelling onder het bankje en houdt zich vast aan de ijzeren poten.

Hij barst in onbedaarlijk huilen uit. Zo hevig is het gesnik dat hij geen lucht meer krijgt.

'Ik wil niet mee. Ik... wil... niet...'

David blijft zelfverzekerd glimlachen.

'Denk eens aan de lol die je zult hebben. Bij ons loop je de kans een slapjanus te worden. Bij hen word je een echte man, groot en sterk. Zigeuners vinden het niet raar, hoor. Die kopen en verkopen de hele tijd kinderen. Dat vinden zij normaal.'

David komt op hem af, pakt hem bij zijn schouders en wil hem naar zich toe trekken. Maar Leonardo verzet zich en houdt zich stevig aan het bankje vast. Liever zou hij zijn handen bezeren, dan zijn greep los te laten.

'Ik wil niet!' schreeuwt hij zo hard hij kan. 'Ik wil niet!' Het laatste woord eindigt in een hysterische gil. Hij kan zich niet meer beheersen. Het is alsof de woede en frustratie hem onder stroom hebben gezet.

Dan stormt Benedetta, die zich er tot dan toe niet mee heeft bemoeid, op hem af. Ze valt op haar knieën en slaat haar armen om hem heen. Ze overlaadt hem met kusjes en omhelst hem stevig.

'Het is maar een grapje, Leonardo… Het is helemaal niet waar…'

Leonardo is rood geworden van opwinding en hoort haar niet eens. David staat er glimlachend bij.

'Het is maar een grapje. Denk je nou echt dat wij je aan zigeuners zouden verkopen, suffie? Weet je dan niet hoeveel we van je houden?'

Eindelijk breken de woorden door zijn schild van verdriet heen. Leonardo doet zijn ogen open en tilt zijn hoofd op. Met kracht maakt hij zich van zijn moeder los.

'Stommerds!' gilt hij. 'Stommerds, stommerds, stommerds!'

Buiten zinnen krijst hij, zijn gezicht donkerpaars aangelopen van woede. Benedetta probeert dichterbij te komen, maar hij duwt haar weg. David blijft maar staan glimlachen.

'Ik wou dat jullie dood waren!'

'Ik zei het toch,' zegt zijn moeder van streek en ze draait zich om naar haar man. 'Ik zei toch dat het geen goed idee was.'

David glimlacht.

'Het was maar een grapje.'

Met een oneindig verdrietige blik in zijn ogen

'Dus papa zou alles voor je overhebben, hè Leonardo?'

Leonardo kwam terug in de werkelijkheid. Het was net alsof de raket die hem had meegenomen in een baan om het verleden, hem er nu plotseling weer had uitgegooid.

'Ja… alles.'

'Niet dus. Eigenlijk is hij een enorme klootzak. De grootste ter wereld.'

Roberto boog zich over de vastgebonden man heen en plette hem met zijn gewicht. In een ruwe beweging trok hij het plakband van zijn mond. David kreunde van pijn.

'Jouw zoon is een fijne jongen, heel pienter. Het is echt lang geleden sinds ik met…' hij aarzelde, 'een kind heb gespeeld. Dat zou jij ook vaker moeten doen. Maar genoeg gepraat nu.'

Hij hield het mes tegen de keel van de man.

'Nu kan ik niet langer wachten. Mijn tijd is op, snap je? Ik moet doen waarvoor ik gekomen ben.'

Hij drukte de punt van het mes tegen Davids keel. Over het staal liep een druppel bloed naar beneden.

'Je gaat ons alles vertellen, Leonardo en mij. Het moment van de waarheid is aangebroken.'

David leek niet eens geschokt door het geweld. Hij was alleen maar ontgoocheld.

'Daarom ben je dus gekomen.'

'Natuurlijk. Wat dacht je dan? Dat ik geld kwam jatten om naar Brazilië te vluchten? Jouw geld hoef ik niet. Ik wil alleen de waarheid.'

Voor hij antwoord gaf, keek David hem lang aan. Hij perste zijn lippen stijf op elkaar, alsof hij eten weigerde dat niet lekker rook.

'De waarheid is het enige dat ik je niet kan geven.'

De punt van het mes drukte tegen zijn keel. De huid stond strakgespannen: nog iets meer druk en hij zou scheuren als papier.

Roberto boog zich over David heen, waarbij hij hem nog verder plette.

'Spreek,' siste hij in zijn gezicht. 'Spreek.'

Als reactie deed David zijn ogen dicht, alsof hij al dood was.

'Vannacht zul je overal voor boeten,' siste Roberto in zijn oor.

Het was alsof David toen pas de volle omvang van het gevaar besefte en hij kwam in opstand. Met een ruk tilde hij zijn hoofd op en stootte zijn voorhoofd hard tegen de neus van zijn tegenstander. Roberto kreunde van de pijn. Bloed spoot uit zijn neusgaten. Onmiddellijk kwam hij overeind, liet het mes vallen en hield zijn handen tegen zijn gezicht.

Niet in staat zich te bewegen, volgde Leonardo het schouwspel alleen met zijn ogen. Papa ging verder met zijn aanval. Hij kromde zijn rug en gaf de man een flinke duw. Roberto viel op de grond. David verzamelde al zijn krachten en gaf hem met beide voeten een flinke trap, waardoor hij een stuk verderop terechtkwam. Toen draaide hij zich naar hem toe, met wijd open ogen van opwinding.

'Hollen, Leonardo. Hollen!'

Hij keek om zich heen. Hij kon door de keuken naar buiten, het pad naar het hek op rennen en dan de spoorwegtunnel in. Ja, dat kon hij doen…

De ontsnapte gevangene lag kreunend op de grond, dubbelgevouwen van de pijn. Maar hij had al een hand van zijn bebloede gezicht gehaald en tastte om zich heen op zoek naar het mes. Leonardo had nog maar een paar seconden om te vluchten.

… en papa dan? Vluchten betekende dat hij hem zou achterlaten in de handen van die gewelddadige, boosaardige man. Maar misschien zou de ontsnapte gevangene papa wel met rust laten om de achtervolging in te kunnen zetten. Of misschien stak hij eerst papa neer en kwam dan pas achter hem aan.

Nee, besloot hij. Hij kon niet weggaan.

Nu had de man zich weer hersteld. Uit zijn neus liep nog een straaltje bloed dat hij zo nu en dan met de mouw van zijn badjas wegveegde. Rode strepen tekenden zich af op de witte badstof. Hij kwam overeind en deed een stap in de richting van David, die zich vanaf de grond klaarmaakte om de aanval af te weren. Met een schijnbeweging sprong de ontsnapte gevangene tegen zijn zij en nog voordat David hem kon ontwijken, gaf hij hem een paar flinke trappen tegen zijn ribben. David maakte een rochelend geluid. Hierdoor kwam Leonardo weer in beweging. Hij stortte zich op Roberto, die hem met een simpele armbeweging van zich af duwde. Hij viel achterover, maar bezeerde zich niet.

Roberto draaide zich naar David toe, die krom lag van de pijn.

'Nu ben je te ver gegaan, klootzak.'

De ontsnapte gevangene zwaaide met het mes in de lucht, alsof hij een onzichtbaar stuk vlees in stukken hakte. Toen keerde hij zich naar hem toe.

'Ga weg, Leonardo. Dit wordt geen prettig gezicht.'

Leonardo deed een stap achteruit en schudde zijn hoofd.

'Ga weg, zeg ik. Dat is voor iedereen beter.'

Opnieuw schudde Leonardo zijn hoofd en probeerde zijn tranen te bedwingen.

'Nee, ik ga niet.'

Ineens sprong de ontsnapte gevangene op hem af. Leonardo

draaide zich om en vluchtte naar de keuken. Pas halverwege merkte hij dat Roberto hem niet volgde. Het was een list geweest, net als bij tikkertje spelen. Behoedzaam keerde hij op zijn schreden terug.

De ontsnapt gevangene zat weer boven op zijn vader, die zwaar ademde van de pijn en angst.

'Ga weg, Leonardo. Ga nou weg.'

Hij bleef roerloos staan, klaar om opnieuw te vluchten.

Roberto haalde zijn schouders op.

'Doe dan maar wat je wilt.'

Wanhopig op zoek naar iets dat hem kon helpen, keek Leonardo om zich heen. Hij zag de schemerlamp op het tafeltje staan. Die zou hij kunnen pakken en op zijn hoofd stukslaan... Hij wist dat dat een stom idee was. De ontsnapte gevangene was zo groot en sterk, dat elke aanval op hem belachelijk zou zijn. Nee, om papa te redden moest hij iets anders bedenken...

Plotseling schoot hem iets te binnen. Toen Roberto het mes even liet zakken, rende Leonardo naar het raam. Dit leidde de ontsnapte gevangene af, die hem vanuit zijn ooghoek volgde.

Hij gaf hem geen kans in te grijpen, zette zijn knie op de vensterbank, zwaaide zijn linkerbeen erover en ging schuin in het raam zitten, half binnen en half buiten.

Langs zijn huid voelde hij de vochtige zeelucht strijken, die uit de diepte opsteeg. Onder geen enkel beding mocht hij naar beneden kijken. Hij wist dat daar een afgrond was, maar als hij die zou zien zou hij er geen weerstand aan kunnen bieden, dat wist hij zeker...

'Wat doe je daar?'

Roberto's stem klonk ongerust.

'Leonardo, kom naar beneden.'

Hij keek op, blij dat hij even werd afgeleid van zijn aandrang om naar beneden te kijken, naar de kolkende zee in de diepte, onder zijn ene voet.

Zwijgend schudde hij zijn hoofd.

'Kom naar beneden. Dat is gevaarlijk.'

Een windvlaag woei door zijn haar: de storm was onderweg.

'Ik zeg het je nog één keer,' zei Roberto dreigend. 'Kom onmiddellijk naar beneden.'

Hij nam niet eens de moeite om antwoord te geven. Hij bleef zitten en hield zich uit alle macht aan de vensterbank vast.

Ineens sprong Roberto op.

'Stop,' beval Leonardo.

Maar de ontsnapte gevangene luisterde niet. Hij kwam dichterbij. Dus tilde hij zijn rechterbeen op, dat nog in de woonkamer hing, en zette zijn blote rechtervoet op de vensterbank. Al keek hij niet naar beneden, hij werd toch door een duizeling bevangen. Hij kon het lege gat onder zich haast voelen.

'Wat ben je van plan? Wil je naar beneden vallen?' Maar ondertussen was Roberto wel stil blijven staan. Zelfs papa, languit op de grond, keek hem smekend aan.

'Leonardo! Pas op!'

En toch moest hij het doen. Hij voelde dat het kon lukken.

'Je mag hem geen pijn meer doen,' zei hij tegen Roberto en hij kon niet voorkomen dat zijn stem brak. Het moeilijkste was om niet in huilen uit te barsten. Dat mocht nu niet. Onder geen enkel beding.

'Je mag hem geen pijn meer doen,' herhaalde hij nog schriller. 'Of anders…'

Ontzet keek Roberto hem aan. Leonardo deed alsof hij zijn rechterbeen naar buiten tilde. Hij wist niet of hij dat wel durfde, maar gelukkig hoefde hij daar niet achter te komen.

'Niet doen! Alsjeblieft, niet doen.'

'Als je hem nog meer pijn doet…'

'Nee! Kijk…'

De ontsnapte gevangene gooide het mes weg.

'Zie je wel?'

'Zul je hem niets meer doen? Beloof je dat?'

'Eh…'

Leonardo tilde zijn been weer op. Op dat moment kon hij zich niet meer inhouden en keek toch in de afgrond onder hem. De steile rots was nog een meter of tien verlicht door het licht uit het huis, en daaronder was de kolkende zee klaar om hem op te slokken. Hij werd duizelig, en even voelde hij de aandrang zich in de diepte te werpen…

'Voorzichtig!' schreeuwde Roberto. Nog net op tijd kon hij zich aan het raamkozijn vasthouden.

'Beloof je dat je hem geen pijn meer zult doen?' vroeg hij weer, met een heel klein stemmetje.

'Ik beloof het! Kom er nu ogenblikkelijk af.'

'Wát beloof je?'

'Ik beloof dat ik hem geen pijn meer zal doen. Kom nu alsjeblieft naar beneden.'

Leonardo bestudeerde het gezicht van de ontsnapte gevangene. Sprak hij de waarheid? Hij keek of hij zijn vingers niet gekruist hield.

Op zijn hoede trok hij zijn rechterbeen weer naar binnen. Roberto bewoog zich niet. Steunend op zijn armen haalde Leonardo zijn linkerbeen ook naar binnen. Nu zat hij met zijn rug naar de diepte toe, en de vochtige wind die door de badstof van zijn badjas heen kwam deed hem rillen. Hij aarzelde even, maar sprong toen van de vensterbank de kamer in. Gespannen wachtte hij af wat er zou gebeuren, maar Roberto stond stil en staarde voor zich uit.

Dus rende Leonardo naar zijn vader. Hij omhelsde hem zo hard als hij kon en aaide hem over zijn haar, dat nat was van het zweet. Het was gelukt. Hij had hem gered, tenminste voor nu… Hij wierp een blik over zijn schouder en zag dat de man naar hem keek, met een oneindig verdrietige blik in zijn ogen.

Het geluid van voetstappen

Roberto deed het raam dicht en trok de kleren aan. Leonardo keek toe. Zelfs in die dramatische situatie kon hij een glimlach niet onderdrukken: de broek en het hemd waren veel te klein, en het resultaat was lachwekkend.

'Kom, kleed je ook aan,' zei Roberto. 'Ik wil niet dat je kouvat. Die badjas is helemaal klam.'

Stilletjes gehoorzaamde hij. Eerst trok hij zijn T-shirt aan, toen zijn onderbroek en zijn tuinbroek. Zijn onafscheidelijke Tinkelbel bracht hij over naar de andere zak. Terwijl hij de bandjes over zijn schouders trok, stak Roberto een hand naar Leonardo uit. Op borsthoogte tikte hij op diens poloshirtje.

'Waarom is dat?' vroeg hij.

'Wat?'

'Waarom is de krokodil eraf?'

Met zijn vinger wees hij naar de plek waar het merkje er zichtbaar was afgetrokken.

Leonardo bloosde en keek naar de grond.

'Wat is er? Is het geheim?'

Hij gaf geen antwoord.

'Hou je niet van krokodillen?'

Hij schudde van nee.

'Waarom niet? Kom op, vertel eens.'

'Ik ben er bang voor.'

'Niet waar. Ben je bang voor een krokodil die op je T-shirt zit genaaid?'

Leonardo aarzelde en gaf met tegenzin toe.

'Krokodillen zijn eng… Ken je die van Peter Pan?'

'Met die wekker in zijn buik?'

'Ja, hij heeft één hand van Kapitein Haak opgegeten en nu wil hij de andere ook. Dat is het enige enge stukje in het boek.'

'Dat is maar een verhaal, Leonardo.'

'Nietes!' protesteerde hij fel. Hij was er zelf verbaasd over. 'Het is allemaal echt. Hier zit er ook een.'

'Hier? Wat bedoel je?'

'Hier in de tunnel zit ook een krokodil.'

Op verzoenende toon ging de ontsnapte gevangene verder. De bijzondere onthulling leek hem wel te vermaken.

'Echt waar? En hoe is die daar terechtgekomen?'

'In het dorp woonde ooit een man, die speciale dieren verzamelde. Hij had zelfs een leeuw.'

'Wie was hij?'

'Dat weet ik niet. Een vreemde man. Hij had een klein krokodilletje gekocht in een kooitje. Maar toen die groter werd, paste hij er niet meer in en at hij ook nog eens heel veel vlees. Op een gegeven moment ging de man trouwen. Toen zijn vrouw het huis binnenkwam, schrok ze zich dood.'

Leonardo grinnikte. Dit vond hij altijd een grappig deel van het verhaal. Hij zou zichzelf ook kapot zijn geschrokken, als hij voor zo'n verrassing was komen te staan. Nu was het iemand anders overkomen en kon hij erom lachen.

'Dus besloot de man de krokodil weg te doen. Maar hij wist niet hoe. Hij vond het zielig om hem dood te maken. Toen heeft hij hem naar de tunnel gebracht, zijn kooi opengemaakt en hem laten ontsnappen.'

'En de krokodil is daar gebleven?'

Leonardo knikte ernstig.

'Iedereen weet het. Hij woont daarbinnen, in het donker. Hij leeft van ratten. En soms eet hij ook andere dingen… Als er een hond of een kat verdwijnt, weet iedereen waar die gebleven is.'

'En ben jij dan niet bang, zo dicht bij de tunnel?'

'We doen het hek altijd goed dicht.'

'En als jullie naar het dorp gaan?'

'Dan gaan we met de auto. Altijd. Ik zou nooit te voet de tunnel ingaan, nog niet voor al het speelgoed ter wereld.'

De ontsnapte gevangene schudde zijn hoofd.

'Wat een verhaal, zeg, verdorie. Weet je dat…'

Hij had geen tijd om zijn zin af te maken, want hij werd onderbroken door een geluid.

Het geluid van voetstappen.

23 UUR

Hij had geen flauw idee wat er dan zou gebeuren

Krk

Een heel zacht geluid.

Krk

Hard genoeg om Roberto weer te doen veranderen in een wild dier op de vlucht, met gespannen zenuwen en spieren, klaar om op te springen.

Ook Leonardo had het gehoord, maar hij liet niets merken.

'Wat is dat?' vroeg Roberto dreigend.

'Wat?'

'Dat geluid. Hoor je het niet?'

Leonardo schudde zijn hoofd, maar net op dat moment klonk het weer, twee keer achter elkaar.

Krk krk. Knisperende blaadjes onder een voet.

De ontsnapte gevangene draaide zich om naar de tuin aan de achterkant van het huis. Daar kwam het geluid vandaan.

Even hield hij zijn adem in, en toen dook hij naar de grond om het mes te pakken dat hij zojuist had weggegooid.

'Kom, Leonardo, houd je niet van de domme. Wie is daarbuiten?'

'Niemand…'

De man slaakte een teleurgestelde zucht. Hij draaide zich om en knielde boven op David.

'Je drukt me plat…' mompelde die met een dun stemmetje.

'Als je je mond niet opendoet, wordt het nog veel erger. Wie is daar?'

David kreunde onder Roberto's gewicht.

'Zo kan ik niet praten…'

Roberto kwam iets omhoog om de druk te verlichten.

'Nu wel. Kom op, wie is daar?'

Voor zijn vader antwoord kon geven klonk er alweer een *krk krk*, nu duidelijker en sneller. In een reflex keken ze alle drie die kant op. Leonardo was zenuwachtig. Wat zou er nu gebeuren? Roberto wendde als eerste zijn blik af. Hij zette de punt van het mes op Davids keel.

'Wou je me erin luizen? Wachten tot ik in slaap zou vallen en dan iemand laten komen?' Hij schreeuwde. 'Wie is daarbuiten? De tuinman? De kok? Je minnares? Vooruit, zeg op!'

Leonardo wierp zich op hem.

'Laat hem met rust! Er is niemand.'

Roberto gaf hem een duw en hij landde op zijn billen op de grond.

'Wie is daar?' vroeg de ontsnapte gevangene nog een keer schreeuwend aan zijn vader. David spuugde hem in het gezicht. Roberto gaf hem een harde klap met de rug van zijn hand. Davids hoofd vloog opzij, zijn haar waaierde uit naar alle kanten. Hij lag levenloos op de grond. Leonardo gilde van angst. Roberto was weer een monster geworden en hij voelde zich verloren. Wat was het stom geweest te denken dat hij hem de hele nacht rustig kon houden!

Ineens versnelde het geluid buiten zich. Met hun ogen op de tuin gericht volgden ze het. *Krk krk krk krk.* Geheimzinnig verplaatste het zich langs het huis, en het werd nog sneller. Wie daar ook was, hij was duidelijk aan het rennen… en nu was hij bij de keukendeur naar de tuin, die openstond…

De ontsnapte gevangene liet David los en sprong overeind. Hij ging met getrokken mes in een verdedigende houding staan, klaar om het nieuwe gevaar te trotseren. Leonardo huiverde van dat dreigende gebaar, en hield zijn ogen gericht op de deur die naar de keuken voerde. Door die deur zou nu iemand binnenkomen, en hij had geen flauw idee wat er dan zou gebeuren.

Vluchten. Hij had geen andere keus

Een flits. Iets onduidelijks, iets lichts. Een razendsnelle beweging, geluidloos maar wild. Een zwartbruine schim.

Roberto begreep niet goed wat hij eigenlijk zag.

Een projectiel van poten en vacht.

Een hond.

'Nana!' schreeuwde Leonardo, zonder dat hij wist waarom. Wilde hij hem waarschuwen? Of terugroepen?

De hond luisterde niet naar hem, maar sprong op de vreemdeling af, de losgerukte lijn zwiepte achter hem aan.

'Nana!' schreeuwde Leonardo nog een keer met meer gezag. Met wijd open bek bleef de hond een centimeter voor Roberto staan, die zijn mes in de aanslag hield. Hij snuffelde eerst aan zijn voeten, en ging toen via zijn enkels naar zijn kruis. Hij leek in de war, de geur van de vreemdeling had zich vermengd met die van zijn baasje.

Nu kon de ontsnapte gevangene rustig naar het hijgende dier kijken. Het was een schitterende, grote Duitse herder met een bungelende tong tussen twee rijen scherpe tanden en twee ogen op Roberto's keel gericht. Als het beest had gewild, had hij hem makkelijk kunnen verscheuren.

'Af, Nana.'

De ontsnapte gevangene stopte het mes in zijn broekzak en stak zijn hand uit om de hond te aaien. Grommend deinsde die achteruit.

'Brave meid…'

'Het is eigenlijk een mannetje,' zei Leonardo.

'Een mannetje? Waarom hebben jullie hem dan Nana genoemd? Of…'

Leonardo knikte.

'Dat is uit *Peter Pan*, hè?' Roberto glimlachte. 'Je hebt hem naar Wendy's hond genoemd.'

'Toen we hem kregen heeft papa hem Tommy genoemd, maar…'

Ineens dacht Leonardo aan zijn vader. De man had hem zo hard geslagen… Hij vergat alles om zich heen en rende naar hem toe. Hij schoof een hand onder zijn wang en tilde voorzichtig zijn hoofd op. David gaf geen enkel teken van leven.

Woedend keek Leonardo naar de ontsnapte gevangene.

'Je had het beloofd!'

'Er is niets aan de hand. Over een paar minuten komt hij weer bij.'

Leonardo streelde het haar van zijn vader. Het was alsof hij kalm en sereen sliep, zo zag hij hem maar zelden. Hij was boos op Roberto, die beloofd had dat hij hem geen pijn meer zou doen, maar zijn woord niet had gehouden. Dat deden grote mensen trouwens nooit.

Nana trippelde zenuwachtig heen en weer tussen de vreemde man en zijn baasje. Het dier voelde dat er iets niet in orde was, maar het gedrag van Leonardo hield hem in bedwang. Hij likte diens gezicht. Leonardo sloeg zijn armen om de hond heen.

'Braaf, Nana, braaf… je wist dat ik hulp nodig had, hè?' De hond keek hem begrijpend aan. 'Ja, dat klopt, ik was heel bang, maar nu jij er bent gaat alles goed.' Hij aaide hem.

'Wat een prachtige hond,' zei Roberto. 'En hij ziet er slim uit. Waarom is zijn lijn losgerukt?'

'Papa had hem buiten vastgelegd, maar hij is heel sterk…'

'Waarom? Had hij op het tapijt geplast?'

Leonardo glimlachte.

'Nee, Nana plast nooit op het tapijt. Meestal slaapt hij bij mij, maar als ik papa boos heb gemaakt, legt hij hem buiten vast…'

'Wat was er dan gebeurd?'

'Ik heb vandaag het Duitse werkwoord *wohnen* verkeerd vervoegd. Van papa moet ik Duits leren. Hij zegt dat dat heel belangrijk is…'

'Hoe oud is Nana?'

'Twee. Hij komt van een meneer uit het dorp.'

'En heb jij hem van je vader gekregen?'

Leonardo gaf geen antwoord. Hij was de man zelf in het park tegengekomen. En hij had zelf gehoord dat er puppy's te koop waren. Opgewonden had hij het 's avonds aan papa verteld. Die had meteen besloten er een te nemen, helemaal tegen Leonardo's verwachting in. Nog nooit had hij hem zo snel zijn zin gegeven. Even had hij zelfs gedacht dat er iets achter zat… Toen hij met de hond thuiskwam, was Leonardo dolblij geweest. David had de puppy in zijn armen gehad en hij was eromheen gesprongen van ongeduld om het harige bundeltje vast te mogen houden.

'Mag hij bij mij op de kamer slapen? Alsjeblieft…'

Glimlachend had zijn vader nee geschud. Dit was een waakhond, had hij uitgelegd. Afgelegen als zij woonden, hadden ze een felle waakhond nodig. Als hij bij Leonardo op de kamer sliep, zou hij vast en zeker bij hem op bed gaan liggen, en zouden ze een schoothondje hebben in plaats van een woeste waakhond. Maar hij had geen rekening gehouden met Nana's koppigheid. De hond had geweigerd te eten, tot hij bij Leonardo mocht slapen. Ze hadden een heel nauwe band, Leonardo en hij, bijna als broers.

Toen hij vroeg of hij hem Nana mocht noemen, had papa hem fronsend aangekeken. Hij had al besloten hem Tommy te noemen. Dat was tenminste een echte hondennaam. Maar Leonardo had zich verzet en zo was het gekomen dat David hem Tommy noemde, en hij Nana. De hond luisterde naar alle twee de namen.

'Niet echt...' antwoordde Leonardo, toen hij zich het hele verhaal herinnerde.

'Toen ik klein was, wilde ik heel graag zo'n hond. Duitse herders zijn de mooiste honden van allemaal. Ze worden wolfshonden genoemd, wist je dat? Ze zijn namelijk een kruising tussen honden en wolven. Kijk maar: de tanden en de trotse houding zijn net als die van een wolf. Hij is wel tam, maar niet helemaal. Niet zoals andere honden, die het accepteren als hun baasje hen slecht behandelt. Een wolfshond moet je met respect behandelen.'

Dat klopt, dacht Leonardo. Hoe papa ook had geprobeerd van Nana een soort robot te maken die naar zijn commando's luisterde, soms weigerde de hond gewoon te gehoorzamen, of deed dat met tegenzin. Ook daarom was Leonardo dol op hem.

Ontroerd sloeg hij zijn armen weer om de hond heen.

Roberto glimlachte.

'Kom eens hier. Hier!'

Met een haast menselijke vragende uitdrukking op zijn snuit keek Nana naar Leonardo. Zachtjes aaide hij hem tussen zijn oren.

'Ga maar, Nana.'

De hond bleef besluiteloos staan. Hij keek van Leonardo naar Roberto en van Roberto weer naar Leonardo.

'Ga,' beval Leonardo. 'Ga!'

Er trok een rilling over de rug van de hond toen hij een stap in de richting van de ontsnapte gevangene zette. Met opgeheven voorpoot stond hij weer stil en hij draaide zich naar Leonardo toe.

'Ga maar, Nana. Vooruit.'

Eindelijk was de hond overtuigd en draafde naar Roberto, die met open armen op hem stond te wachten.

'Kom maar, jongen, kom maar.'

Leonardo wachtte tot de hond aan de andere kant van de kamer was. Hij wachtte tot het moment dat de ontsnapte gevangene al met zijn vingers de vacht aanraakte. Toen riep hij resoluut:

'Pak hem, Nana! Pak hem!'

Nana veranderde in een oorlogsmachine en sprong – bek wijd open, tanden ontbloot – op Roberto's keel af. Leonardo vloog de kamer uit.

Hij moest vluchten. Hij had geen andere keus.

En toen ging hij naar binnen

Leonardo schoot de keuken in en glipte door de deur naar buiten. Eindelijk! Buitenlucht! Wat een heerlijk gevoel. Hij was vrij! De harde wind duwde hem vooruit.

Plotseling bleef hij staan. Uit de villa klonk woest geblaf en het lawaai van een gevecht.

Leonardo stond als aan de grond genageld. Alle opwinding was verdwenen en hij zonk weer weg in zijn eeuwige onzekerheid.

Toen hoorde hij een dreun. Gejank. Stilte.

Wat was er gebeurd?

In een opwelling holde hij terug naar de keuken, maar dwong zichzelf toen te stoppen. Hij moest helder blijven nadenken en tenminste voor deze ene keer zijn zenuwen en angst opzijzetten.

Teruggaan zou echt stom zijn. Hij moest zijn nieuwsgierigheid bedwingen. Hij had zijn keus toch al gemaakt. Naar binnen gaan en zichzelf aan de ontsnapte gevangene uitleveren had geen enkele zin. Misschien had het monster Nana wel verwond, of... Hij kon gewoon niet terug. Nu had hij een ontsnappingskans en die moest hij benutten.

Leonardo hield op met piekeren en zette het op een lopen. Hij holde door de olijfboomgaard en voelde het bloed in zijn oren suizen. Hij dacht nog een laatste luid geblaf te horen, maar dat kon ook verbeelding zijn.

Toen hij bijna bij het paadje was dat naar de steiger leidde, bleef hij abrupt staan. Instinctief was hij die kant op gegaan. Hij wilde met de rubberboot naar het dorp varen, maar hij was de sleutel vergeten. Zonder sleutel kon hij niet vluchten.

Toen Leonardo zich dat realiseerde, zonk de moed hem in de schoenen. De gure nachtwind, die ziltig rook, striemde zijn gezicht. De vloed kwam opzetten. Het was bijna helemaal donker, de maan en sterren werden door wolken bedekt. Het enige licht waarop hij zich kon oriënteren kwam uit het raam in de verte.

Licht…

Wat dom. Zijn zaklamp. Die zat gewoon in zijn zak. Hij haalde hem eruit en knipte hem aan. De lichtbundel scheen op de olijfboom recht voor hem. De blaadjes weerkaatsten duizenden tinten zilver.

Leonardo richtte hem op de grond. Hij wilde niet dat de ontsnapte gevangene, wanneer die het huis uitkwam om de achtervolging in te zetten – achtervolging… hij kreeg er kippenvel van – hem makkelijk zou kunnen vinden.

Wat nu?

De rubberboot kon hij niet gebruiken. Dus bleef er nog maar één mogelijkheid over.

De tunnel.

In zijn hoofd probeerde Leonardo dat woord te vermijden.

De tunnel.

Nooit, en voor niets ter wereld, nog niet voor de Yamaha-minimotor die hij zo graag wilde hebben, of voor de Colmic Fireblade-hengel waarvan hij droomde, nooit zou hij alleen, en dan ook nog 's nachts, de tunnel ingaan. Tot een paar uur geleden tenminste.

Hij deed altijd een spelletje. Als hij veilig op de achterbank van papa's auto de tunnel door reed, en hij voorzichtig naar buiten keek, stelde hij zichzelf de vraag: voor hoeveel geld zou je hier in je eentje doorheen lopen? Voor een miljoen? Een miljard? Honderdduizend miljoen miljard? Plus een? Veilig in de auto, rilde Leonardo van genot als hij zich zoiets voorstelde. Of hij fantaseerde dat hij iets te zwaar tegen het portier leunde, dat dan plotseling openvloog, en dat hij in het donker naar buiten rolde, door de modder en tussen de ratten. Dat hij dan overeind kwam en 'Papa!' riep, maar dat die hem niet hoorde en gewoon verder reed, terwijl hij vergeefs achter de snel verdwijnende auto aan rende, waarvan de achterlichten steeds kleiner werden in de tunnel, steeds verder weg gingen… Leonardo genoot van het fantaseren over zichzelf in een dergelijke enge situatie. Hij genoot en ging toch een beetje verder van het autoportier vandaan zitten, je kon tenslotte nooit weten.

Maar nu was het geen droom meer. Geen fantasie. Geen nachtmerrie.

Het was werkelijkheid geworden.

De enige manier om aan het monster te ontkomen, om papa en Nana te redden, was de tunnel in te gaan.

En… de sleutel?

Iedere avond deed papa het hek van de tunnel op slot. Hij deed het zelf, om zich ervan te verzekeren dat niemand kon binnenkomen.

Hij, Leonardo, had geen sleutel…

Dat is niet waar.

Wel waar! Ik heb geen sleutel!

Nee, maar je weet wel waar hij ligt…

Leonardo zwichtte. Dat wist hij inderdaad. In de auto. Daar bewaarde papa een reservesleutel. 'Voor het geval dat,' had hij ooit geheimzinnig gezegd. Misschien had hij daarbij gedacht aan een keer dat hij, of Leonardo, de sleutel was vergeten en geen zin had om weer helemaal naar huis te lopen. Of misschien had hij wel gedacht aan een situatie als deze.

Hoe dan ook, hij had geen excuus meer. Hij wist waar de sleutel lag.

Leonardo scheen met zijn zaklamp naar de grond en liep terug in de richting van het huis. Alleen de wind en het gebulder van de branding waren te horen. Rond het huis was het angstaanjagend stil.

Door de olijfboomgaard liep een stenen paadje, dat verder de tuin in ging achter het huis. Aan het einde was een splitsing: linksaf ging je terug naar de voordeur van de villa en rechtsaf ging je naar de tunnel. Precies op die splitsing lag mama's rozentuin, die ze altijd met veel liefde had verzorgd. Nu ze er niet meer was, deed papa dat. Een keer per week kwam de tuinman, en moest Leonardo hem van papa helpen met mesten, snoeien en soms zelfs spitten – 'je moet leren met je handen te werken, te zweten in de zon' –, in de hele tuin, behalve daar. In het kleine rozenperk mocht alleen papa komen. De tuinman had er eens onkruid willen wieden, maar papa had hem lomp weggestuurd.

Gerustgesteld glimlachte Leonardo in het donker. Waar ze op dat moment ook was, hij voelde zijn moeders aanwezigheid, en hij voelde dat hij dit gevecht ook voor haar leverde. Vol nieuwe moed scheen hij met zijn zaklantaarn het duister in om te controleren of het monster niet precies op de splitsing van het paadje in een hinderlaag lag. Toen knipte hij hem uit, zodat hij niet gezien kon worden. Hij schoot het pad naar de tunnel in. Achter zijn rug verdween het huis achter de rotswand. Langs het hele pad liep aan de ene kant een balustrade en aan de andere kant een overhellende rotswand van zo'n honderd meter hoog. Door het zeewater werden alle materialen aangetast. Leonardo dacht aan die keer, twee jaar geleden, toen papa tegen de ijzeren reling aanleunde en die het plotseling begaf. David was zo slim geweest om zich net op tijd opzij te werpen. Toen pas had hij geschrokken naar beneden gekeken. Niemand zou zo'n val hebben overleefd.

Buiten adem van het hollen en van de angst, kwam Leonardo

bij de garage aan. Het was geen echte garage, meer een gat in de rots waar één, niet al te grote, auto kon staan. Papa hield toch niet van grote auto's. Bovendien was het daar op het weggetje pal boven zee heel moeilijk keren. Aan de wanden in de garage hing keurig netjes het tuingereedschap: spaden, schoppen, harken, eggen, pikhouwelen, handschoenen, gieters.

Leonardo opende het portier van de Toyota Rav 4. Papa had die kleine jeep gekocht, omdat die perfect over de onregelmatige grond in de tunnel reed. Leonardo keek met Tinkelbel in het dashboardkastje en vond de sleutel meteen. Hij liep de garage uit. Op weg naar het hek hield hij de lichtbundel op de grond gericht. Het pad was nog geen honderd meter lang, uitgehakt in de zijkant van de berg, maar in het donker kon hij het einde nog niet zien. O ja, daar zag hij de ijzeren tralies, zwarter dan het duister van de nacht. Leonardo stond voor het hek. Op meerdere plekken was de verf van de metalen tralies afgebladderd. Uit de tunnel kwam een koude, vochtige luchtstroom, die naar ontbinding rook. Leonardo rilde en deed een stap achteruit. Wat tot nu toe alleen nog maar een plan was geweest, stond op het punt werkelijkheid te worden.

De tunnel… Hij kon het nog steeds niet geloven. Toch zat er niets anders op.

Leonardo richtte zijn zaklamp op het slot. Hij probeerde de sleutel erin te steken, maar het lukte niet. Hij zuchtte van opluchting. Zie je wel? Hij had het geprobeerd, maar…

Andersom.

Met tegenzin keerde hij hem om. Probleemloos gleed de sleutel naar binnen. Toen hij hem omdraaide, sprong het mechanisme open. Papa hechtte eraan dat alle sloten goed geolied waren.

Het hek was van het slot. Een simpele handbeweging, en het zou openzwaaien.

Ik kan het niet. Sorry, ik kan het echt niet.

Je kunt het wel.

Ik kan het niet. Alsjeblieft…

Zonder dat hij hem daartoe opdracht had gegeven, pakte zijn rechterhand de klink vast. Leonardo keek achterom, hopend op iets, op een verschijning, een wonder, een gil, een schreeuw om hulp, alles wat hem maar zou kunnen tegenhouden.

Maar de nacht bleef donker, ondoorgrondelijk en stil.

Doe het hek open.

Leonardo trok en het hek ging open.

De donkere keel van de tunnel lag voor hem. Tussen Leonardo en de krokodil bevond zich geen enkel obstakel meer.

Met ingehouden adem – wie weet hoe lang hij al niet ademde – scheen Leonardo naar binnen.

'Is daar iemand?' Hij wist dat het stom was – wie zou hem moeten antwoorden, de krokodil? – maar hij kon het niet helpen. Zijn stem was zijn enige gezelschap.

Hij richtte de lichtbundel iets omhoog en het was alsof er even twee ogen oplichtten. Van schrik sprong Leonardo achteruit. Een paar seconden was hij doodsbang, maar toen – omdat er verder niets gebeurde – vond hij de moed om weer naar binnen te schijnen. Weer zag hij een flikkering, en hij begreep wat het was. De scherven van een colafles. Dat was alles.

Leonardo ging in de pikzwarte, bedompte ingang staan en hield zich aan het hek vast alsof het zijn laatste steun was.

En toen ging hij naar binnen.

Je bent echt een dappere knul

Kou. Dat was het eerste dat hij voelde. Een bijtende, vochtige en gemene kou. Leonardo rilde in zijn dunne T-shirtje en trok zijn schouders op om zich te beschermen. Er hing een vreemde stank in de tunnel, de geur van gesloten en vochtige ruimtes.

Hij deed een stap naar voren. Leonardo wist dat de rails en de bielzen uit de tunnel waren weggehaald. Daarna had een bull-dozer de grond op z'n janboerenfluitjes geëffend. In de loop van de jaren hadden autobanden twee sporen uitgesleten.

Hij richtte de zaklamp voor zich uit. Het licht scheen een tiental meters, maar werd toen vaag. Dreigend hing het gewelf van de tunnel boven zijn hoofd, laag en verstikkend. Het was geen moderne tunnel in een perfecte halve cirkel, ruim en symmetrisch. Het was zo'n ouderwetse tunnel uit de vorige eeuw, gebouwd in een spitse boog, met maar net genoeg ruimte voor een spoor. De boog was onregelmatig, met pikhouwelen uitge-hakt. Heel even dacht Leonardo aan die tonnen rots boven zijn hoofd en kreeg hij het benauwd.

Hij moest denken aan wat er zojuist in de villa was gebeurd. Toen hij had gezien hoe hardhandig het monster papa had ge-slagen, had hij begrepen dat hij van tactiek moest veranderen. Eerst had hij gedacht dat hij hem wel de hele nacht rustig kon houden… Stom, hoor. Hij had boven op hem willen springen en hem willen krabben, maar dat zou dom zijn geweest. Wat kon hij tenslotte doen? Niets. Hij was niet groot en sterk, en dus moest hij slim zijn. Daarom had hij gedaan alsof hij het spel meespeelde en toen van de eerste gelegenheid gebruikgemaakt. Nana was precies op het juiste moment binnengekomen.

Nana, wat was er met hem gebeurd? Leonardo dacht er liever niet aan.

Ondertussen stond hij wijdbeens in de tunnel, verlamd van angst.

Hij moest doorlopen.

Hij deed een stap, en toen nog een. Hij merkte dat zijn angst verminderde door de beweging. Hij voelde zich meester over zichzelf en niet overgeleverd aan dingen.

aan de krokodil

in de tunnel. Vluchten kon altijd nog.

Hoe hij ook probeerde hem uit zijn gedachten te bannen, de krokodil kwam steeds terug. Misschien lag hij te slapen. Of misschien had hij net een hond verslonden, een kat of een heleboel ratten, en zat hij zo vol dat hij geen zin had in een bewerkelijke prooi als Leonardo. Hij had eens een film gezien, waarin werd verteld dat hyena's nooit mensen aanvallen omdat die langer zijn dan zij. Het gebeurt weleens dat een klein kind – een leuk zwart jongetje met een brede glimlach – het dorp uit loopt om water te halen en onderweg een roedel hyena's tegenkomt. Na de eerste schrik is hij slim genoeg om een list te verzinnen. Hij raapt een stok van de grond en houdt die boven zijn hoofd. De roofdieren zijn verbijsterd: met die stok op zijn hoofd is hij langer dan zij. Dus laten de hyena's hem met rust en druipen af. Zou de krokodil zich ook zo gedragen? Viel hij iemand die langer was dan hij niet aan? Leonardo hoopte het, maar was er niet zeker van.

Ondertussen liep hij stevig door. Hij rende bijna. Nu hij dan toch besloten had door de tunnel te gaan, kon hij net zo goed opschieten. Hij scheen met de zaklamp naar voren, maar dikwijls keek hij over zijn schouder achterom. Tegen zijn verwachting in had hij zelfs nog geen rat gezien. Maar in afwachting van zo'n ontmoeting – want daarbinnen móést iets zijn – werd hij steeds banger.

Papa had hem eens uitgelegd dat je alleen aan krokodillen kan ontsnappen door je zigzaggend uit de voeten te maken. Krokodillen hebben sterke, stevige poten en kunnen heel hard rennen – harder dan mensen – maar door de bouw van hun ledematen kunnen ze niet plotseling van richting veranderen. Dus als de krokodil eraan komt, dacht Leonardo, moet ik zigzaggend wegrennen. En voor de zekerheid oefende hij die manier van lopen even. Om in de smalle tunnel zo abrupt mogelijk van richting te veranderen, zette Leonardo zich met gebogen arm tegen de wand af, zoals zwemmers doen bij het keren. Zou de krokodil hem zo kunnen pakken? Hij voelde zich snel en ongrijpbaar…

Plotseling trok Leonardo zijn hand terug. Hij voelde iets smerigs, iets glibberigs. Met de zaklamp scheen hij op zijn handpalm. Er zat een slijmerig groen laagje op. Hij onderdrukte een gevoel van afschuw en veegde zijn hand af aan zijn spijkerbroek. Hij richtte de zaklamp op het rotsgewelf en zag dat er water naar beneden liep. Langs de wand droop vocht en op sommige plaatsen was een vreemd, harig mos ontstaan. Leonardo scheen weer omhoog en zag dat er in de nok van de tunnel vier of vijf dwarsbalken waren bevestigd. Een tijdje geleden was er gevaar voor instorten geweest, herinnerde hij zich, en men had noodmaatregelen getroffen om dit te voorkomen. Even had hij het gevoel dat de rots naar beneden kwam. Hij zag voor zich hoe hij daar zou liggen, bedolven onder het puin, met alleen een arm die eruit stak, zijn hand in de lucht. 'Papa…' zou hij vergeefs roepen.

Genoeg. Hij had nu geen tijd om te fantaseren. Hij moest doorlopen.

Hoeveel tijd was er inmiddels verstreken? En vooral, hoe ver was het nog tot de uitgang? 'Bonassola tunnel – 1523 m.' vermeldde het bordje bij de ingang aan de dorpskant: Leonardo wist het precies. Vijftienhonderddrieëntwintig meter, vijftien hectometer, honderdvijftig decameter, herhaalde hij elke keer als hij met papa de duisternis binnenreed. Maar dat was niet hetzelfde als een concreet idee hebben van de afstand. Leonardo had geen flauw idee hoeveel van die vijftienhonderddrieëntwintig meter hij nu had afgelegd. Al achthonderd? Of pas vijf? Papa had hem eens gevraagd hoe lang hun auto volgens hem was, en zelfverzekerd had hij geantwoord: 'Achttien meter.' Papa was in lachen uitgebarsten.

Hij wist alleen dat ze er met de auto snel doorheen waren, in tien minuten of in een halfuur, dat wist hij niet precies, maar in ieder geval snel. Hij hield de hele weg zijn adem in – nou ja, soms haalde hij een heel klein beetje adem – en dan waren ze al weer buiten. Maar met de auto ging je hard terwijl hij nu te voet was. Misschien…

'Leonardo!'

De stem klonk zacht en ver weg, vervormd door de echo.

'Leonardo!'

Het kwam achter hem vandaan. Met een ruk draaide hij zich om.

'Papa!' schreeuwde hij blij. Eindelijk was de nachtmerrie voorbij! Papa had het monster verslagen – daar had hij geen moment aan getwijfeld, want papa was het sterkst en slimst van iedereen – en nu kwam hij hem redden.

Hij holde terug in de richting van het huis, zonder te letten op losse stenen en kuilen.

'Hier ben ik!' schreeuwde hij zo hard als hij kon.

'Leonardo!'

Abrupt bleef hij staan.

Die stem.

Dat was papa niet.

Dat was het monster.

Ineens drong het tot hem door. Wat stom! Hoe had hij kunnen denken dat papa zich in zijn eentje had kunnen bevrijden, en de vijand had kunnen verslaan? Stom, stom, stom. Blijkbaar had Roberto Nana uitgeschakeld en zat hij nu hem achterna…

Leonardo draaide zich weer om en vluchtte de andere kant op. Tijdens het rennen zag hij dat het licht van de zaklamp te goed te zien was, en hij deed hem uit. Het donker verblindde hem. Hij zag niets meer. Zijn ogen konden maar moeilijk aan het duister wennen. Toch bleef Leonardo hollen, met zijn armen vooruitgestoken om het donker af te tasten.

Langzaam keerde zijn zicht terug en kon hij weer wat waarnemen: de wazige wand van de tunnel, de schaduwen op de grond… Leonardo zag dat er door de tunnelingang achter hem, aan de zeekant, een klein beetje licht naar binnen viel.

Hij draaide zich om.

'Leonardo! Ik weet dat je daar bent! Wacht!'

Hij wist het nu echt zeker: het was het monster. Hoe had hij hem met papa kunnen verwarren? Zijn wanhopige verlangen om gered te worden had hem misleid. Hij wist dat hij niet kon rekenen op hulp van anderen. Hij stond er helemaal alleen voor.

Plotseling gleed hij uit. Zijn rechterenkel maakte een verkeerde draai en Leonardo voelde een hevige pijnscheut. Hij rolde over de modderige grond. De tranen sprongen hem in de ogen, maar hij huilde niet. Daar was nu geen tijd voor.

Hij wachtte tot de kramp was weggetrokken en probeerde overeind te komen. Dat lukte. Hij steunde op zijn geblesseerde enkel en voelde weer een pijnscheut. Hij verplaatste het gewicht naar de andere kant en zette een stap. Strompelend, en niet al te veel steunend op zijn pijnlijke kant, begon hij weer te lopen.

'Leonardo, wacht!' beval de stem achter hem. 'Kom terug, of het loopt slecht af met David!'

Leonardo stopte. De woorden die hij zo had gevreesd, waren uitgesproken. Papa was in gevaar. Moest hij naar het monster luisteren en teruggaan? Hij wilde al gehoorzamen, toen hij zich bedacht. De ontsnapte gevangene bevond zich achter hem: misschien had hij papa geslagen, misschien had hij hem wel

vermoord

verwond, maar daar kon hij nu toch niets meer aan doen. Sterker nog, hoe langer hij bleef lopen, des te verder lokte hij hem van de villa weg. Misschien kon papa zich ondertussen

als hij nog leefde

losmaken. Deze geruststellende gedachte gaf de doorslag en hinkend ging Leonardo verder. Al gauw werd de pijn minder. Waarschijnlijk had hij zijn enkel alleen maar verzwikt.

'Leonardo!'

Het leek alsof het monster niet dichterbij was gekomen. Zijn geroep klonk zacht en ver weg. Om de een of andere reden, kwam de man even snel vooruit als hijzelf. Misschien… Hoopvol ging Leonardo's hart sneller kloppen… Misschien zou hij het wel halen.

Hij liep door en ineens zag hij hem.

Recht voor hem, in de vorm van een halvemaan, iets lichter dan het donker om hem heen.

De uitgang.

Een zwarte boog, maar minder zwart dan de rest.

Vrijheid.

Ontsnapping.

Redding.

Het was nog ver, een sikkeltje in het duister. Maar Leonardo wist het zeker. Het was de uitgang van de tunnel. Aan de andere kant was het oude spoorwegterrein, nu een parkeerplaats. En nog verder weg was het politiebureau.

Nog even, nog maar heel even. Papa's leven lag in zijn handen.

'Leonardo!' De ontsnapte gevangene riep hem weer, heel zwakjes. Misschien had hij ook een glimp opgevangen van de uitgang. En had hij begrepen dat hij hem ontvluchtte. Hij zette alles op alles.

'Leonardo! Kom terug!'

Leonardo kon hem nog maar nauwelijks horen, waaruit hij opmaakte dat de ontsnapte gevangene ver weg moest zijn. Niet alleen was hij dus niet ingehaald, hij had zelfs terrein gewonnen. Voor hem werd de boog van de vrijheid groter. De eerst vlagen zeewind baanden zich een weg door de tunnel en bereikten zijn neusgaten. Leonardo ademde diep in. Kom op, hij was er bijna…

Gggggrrrrrr

Leonardo stopte.

Gggggrrrrrr

Een geluid. Een angstaanjagend oergeluid… Hij verstijfde van schrik.

Gggggrrrrrr

Dat kon alleen maar… Ja, dat moest de krokodil wel zijn, dat ongelooflijke, angstaanjagende en afstotelijke beest…

Leonardo deed een stap achteruit. Al zijn inspanningen om rationeel te blijven waren op slag tenietgedaan. Alleen een blok ijs bleef over in zijn buik.

De krokodil… Het beest zat daar vast tegen de grond gedrukt, ergens in het donker, in het stuk tunnel tussen hem en de uitgang… Ineens snapte Leonardo het: de krokodil hield zich dicht bij de uitgang verborgen, zodat hij iedereen die in de buurt kwam kon pakken.

Opnieuw klonk het geluid, maar nu anders, dreigender, bijna grommend.

Hij heeft vreselijke honger. En hij gaat me verscheuren.

Het oefenen van zigzaggend rennen had geen enkele zin gehad. Leonardo maakte rechtsomkeert en rende als een waanzinnige terug, zich niet bewust van de pijn in zijn enkel, het donker om hem heen, of de plassen en de modder op de grond. Achter zich hoorde hij het uitgehongerd gegrom en tijdens het hollen verwachtte hij ieder moment de dichtklappende kaken in zijn benen te voelen. Zonder te stoppen holde hij naar zijn enige overgebleven redding. Buiten adem rende hij regelrecht in de armen van Roberto.

Verrast en verheugd pakte de man hem beet. Hij moest hem echt tegenhouden, anders was hij door blijven rennen tot aan de villa. Toen hoorde hij zijn koortsachtige ademhaling en voelde dat zijn kleren nat waren van het koude zweet. Stevig sloeg hij een arm om hem heen en aaide hem over zijn rug.

'Goed zo, Leonardo. Je bent echt een dappere knul.'

24 UUR

En vroeg zich af of die man eigenlijk
wel zo gemeen was

Zwijgend keerden ze terug naar de villa. Leonardo liep voorop, met hangende schouders en zijn blik omlaag. Zijn enkel deed geen pijn meer: alleen als hij schuin op een steen trapte, voelde hij nog een kleine steek. De ontsnapte gevangene liep achter hem aan, als een politieagent met een arrestant op weg naar het bureau. Hij had Tinkelbel afgepakt en verlichtte nu zelf de weg. Ze wisselden geen woord. Leonardo haatte hem, omdat hij papa en Nana pijn had gedaan en eigenlijk baalde hij ook van zijn eigen lafheid. Hij had de kans gehad om papa te laten zien hoe flink hij was en in plaats daarvan… Papa… Hij moest er niet aan denken wat er gebeurd zou kunnen zijn.

Ze kwamen de tunnel uit. Woeste rukwinden trokken aan zijn haar en kondigden de komst van flink noodweer aan.

Achter hem deed de ontsnapte gevangene het hek dicht. Hij draaide de sleutel om en stopte die in zijn zak. Nog zoiets stoms: hij had de sleutel in het hek laten zitten. Die ontsnappingsroute was hij dus – als hij al ooit opnieuw de moed zou hebben om de krokodil te trotseren – voorgoed kwijt.

Terneergeslagen liep Leonardo de weg af naar de villa en even kwam hij in de verleiding zich om te draaien en Roberto zo hard mogelijk tegen de reling te duwen. Misschien zou die zijn evenwicht verliezen, naar beneden vallen en op de rotsen te pletter slaan. Misschien zou de reling het begeven, zoals papa die keer was overkomen. Maar hij liet het idee meteen varen. Weer zo'n dom idee van hem, zou papa hoofdschuddend hebben gezegd. Bovendien, al was hij sterk genoeg geweest, eigenlijk wilde hij het helemaal niet... Leonardo vond het al vreselijk als de kinderen uit het dorp voor de lol de staart van een hagedis eraf trokken, of een krekel in brand staken. Het lijden van dieren deed hem pijn. Dus een echte man de afgrond in duwen... Nee, dat zou hij nooit kunnen.

Toen ze dichter bij de villa kwamen, werd het pad iets verlicht door het schijnsel uit het huis. Leonardo keek achterom naar Roberto en zag toen pas dat diens linkerarm slap langs zijn lichaam hing. De mouw van zijn overhemd was gescheurd en met bloed doordrenkt. Ook zijn broekspijp was gescheurd, van zijn dijbeen tot aan zijn knie. De ontsnapte gevangene liep mank. Hij bewoog zich moeilijk. Zijn gezicht was asgrauw en het zweet stond op zijn voorhoofd. Kennelijk had het gevecht met Nana hem zwaar op de proef gesteld. Om hem te verdedigen had zijn hond gevochten. Dus dáárom had de ontsnapte gevangene hem in de tunnel niet kunnen inhalen, en was hij zo ver achterop geraakt...

Zonder op aanwijzingen van de ontsnapte gevangene te wachten, liep Leonardo door de wijd open keukendeur naar binnen. Het licht was aan. Eenmaal in de keuken bleef hij staan. Hij was bang voor wat hij zou aantreffen.

'Loop door,' zei de man en hij duwde hem zachtjes tegen zijn schouder. 'Kom op.'

Onwillig liep Leonardo verder. Hij stapte de woonkamer binnen en wat hij daar zag schokte hem.

Op de vloer lag een grote, rode plas.

Leonardo had weleens bloed gezien. Als hij zich aan de schaar sneed, of krabde, of een bloedneus had. Maar dit was anders. Deze stille bloedplas getuigde van een geweld dat hij niet kende.

Hij keek naar de wonden van de ontsnapte gevangene. Misschien waren die diep genoeg om al dat bloed te kunnen verklaren. Of misschien…

'Loop door,' beet de ontsnapte gevangene hem toe.

Leonardo was bang. Iedere stap onthulde meer van de woonkamer. De bank… de stoelen… en …

'Papa!' gilde Leonardo en hij rende op hem af.

David lag slap op de grond, ongeveer in dezelfde positie als toen hij was weggegaan.

'Papa!' riep hij weer en hij streelde zijn gezicht. Maar zijn vader gaf geen teken van leven.

'Maak je geen zorgen. Hij heeft niks.'

Híj heeft niks… Dus iemand anders….

'Nana!' schreeuwde hij. Hij stond op het punt in huilen uit te barsten. Nana, nee… Heel even verbaasde het hem dat hij eerder hoopte op papa's dood dan op die van zijn hond, en schaamde hij zich. Maar Nana was zijn enige echte vriend. Een vriend die nooit iets van hem eiste, niet oordeelde, geen bevelen gaf en die van hem hield zoals hij was…

Aaaaauuuuiiiiiiiii

Het gejank kwam onder de tafel achter in de kamer vandaan. Leonardo holde erheen. Onder het raam lag Nana vastgebonden aan de verwarming. Zodra de hond hem zag, probeerde hij op zijn poten te gaan staan. Moeizaam en merkbaar trillend kreeg hij dat voor elkaar. Leonardo sloeg zijn armen om hem heen en Nana likte hem met lange halen in zijn gezicht.

'Je leeft nog, je leeft nog…' bleef Leonardo herhalen. Terwijl hij liefdevol de snuit van de hond schudde, zei hij: 'Sorry, Nana, jij was fantastisch. Maar het was zo donker in de tunnel. En ik was zo bang.'

Leonardo keek zijn hond diep in de ogen, en die keek een en al aandacht terug.

'Je weet toch dat ik bang ben voor de krokodil. Jij zelfs misschien ook wel, als je erbij was geweest…'

Hij keek hem opnieuw diep in de ogen.

'Nee, je hebt gelijk. Met jou erbij, zou ik niet bang zijn geweest. Maar helemaal alleen…'

De hond gaf hem nog een lik. Leonardo hield hem stevig vast.

'Dank je, Nana…'

Na de eerste opluchting inspecteerde Leonardo het dier zorgvuldig. Op de vacht van zijn dij en rechtervoorpoot zat bloed.

'Het spijt me. Ik moest hem wel slaan,' zei de ontsnapte gevangene. 'Anders zou hij me hebben gedood.' Hij klonk oprecht berouwvol.

Roberto kwam dichterbij, en knielde kreunend van pijn naast Leonardo en de hond. Nana gromde even, maar deed niets.

'Het was niet makkelijk hem te overmeesteren. Hij is heel sterk. En hij is echt dol op jou: hij zou zich voor je hebben doodgevochten. Het is een trouwe hond, en ik houd wel van trouwe types.'

De ontsnapte gevangene glimlachte ontroerd. Leonardo zag het en vroeg zich af of die man eigenlijk wel zo gemeen was.

Ik heb honger

'Waarom kwam je eigenlijk terug?'

'Wat?'

'Zojuist, in de tunnel… Waarom kwam je teruggerend?'

Uitgeput van vermoeidheid waren Roberto en hij gaan liggen, de een op de bank, de ander in de leunstoel. Hij had zijn zaklamp teruggekregen, en die in zijn zak gestopt.

Leonardo kon met moeite zijn ogen openhouden, en praten lukte ook maar nauwelijks.

'Nou? Wil je het niet vertellen?'

Leonardo geneerde zich.

'Was het vanwege de krokodil?' probeerde Roberto en uit de glimlach waarmee hij het vroeg, kon Leonardo opmaken dat hij hem niet uitlachte.

Leonardo knikte.

'Ik hoorde iets…'

'In de tunnel?'

'Ja, jij ook?'

'Bedoel je een soort *gggggrrrrrr*…?'

Leonardo knikte weer.

Roberto lachte. Wat viel er nou te lachen, sukkel? Zie je wel, hij vergiste zich altijd in mensen.

'Maar krokodillen maken toch geen geluid? Ken je dat liedje dan niet… *Hoe doet een krokodil dan? Niemand hoort er ooit iets van*…'

'Toch was het de krokodil, dat weet ik zeker.'

'Misschien was het wel de wind…'

'Hoezo de wind?'

'Nou, gewoon de wind. Het stormt buiten. Misschien weergalmt de wind in de tunnel. Of misschien zit er wel ergens een gat in de tunnel waardoor lucht naar binnen komt en geluid produceert… Zoals bij een contrafagot…'

De ontsnapte gevangene zag de geïrriteerde uitdrukking op het gezicht van de jongen.

'… Of misschien heb je gelijk, en was het echt de krokodil.'

Leonardo wist dat de ontsnapte gevangene gelijk had. Wat stom! Natuurlijk was het de wind! Bovendien had hij het geluid al eens eerder gehoord, toen de jongens uit het dorp elkaar uitdaagden de tunnel in te gaan. Degene die het verst naar binnen durfde, won. Op een dag was hij, om te laten zien dat hij niet laf was – eigenlijk hadden ze een ander woord gebruikt – dieper de tunnel ingelopen dan wie dan ook, zo ver dat de ingang nog maar een spleetje licht was in de verte. Leonardo was doodsbang geweest, maar had niet terug willen gaan voor de jongens hardop tot honderd hadden geteld. En toen had hij dat duistere gegrom voor het eerst gehoord. Hard was hij naar buiten gerend terwijl de jongens nog stonden te tellen 'zevenenzeventig, achtenzeventig…', en zo had hij de weddenschap verloren. Natuurlijk, het was de wind. Waarom had hij daar niet eerder aan gedacht? Dan had hij nu op het politiebureau gezeten, en hadden de agenten een einde kunnen maken aan deze nachtmerrie. Papa zou dan al los zijn. Terwijl hij nu…

'Kom op, trek het je niet aan. Ik zou daarbinnen ook bang zijn geweest.'

Leonardo haalde zijn schouders op. Hij hield niet van medelijden. Maar hij merkte dat de man al weer ergens anders aan dacht.

'Ik heb honger,' kondigde Roberto aan.

Tot alles voorbij zou zijn

Leonardo keek hem stomverbaasd aan. Eten was wel het laatste waar hij op dat moment aan zou hebben gedacht.

'Is er iets in huis?' vroeg Roberto.

'Geen idee, brood misschien…'

Roberto trok een grimas.

'Ik heb iets warms nodig. Mijn arm doet ontzettend pijn. En ik heb het koud. Misschien krijg ik wel koorts.'

'Ik kan eieren voor je bakken, als je dat wilt.'

'Kun jij dat?'

Angstig knikte hij. Hij had twee of drie keer iets gebakken in zijn leven, waaronder dus eieren. Papa liet hem alles zelf doen, maar gaf er aanwijzingen bij: doe dit, doe dat, dit erbij, let op… Papa zei altijd dat echte mannen hun bed kunnen opmaken, eten kunnen koken en knopen kunnen aanzetten.

'Ja, doe dan maar …'

Leonardo stond op. Zijn enkel deed nog een beetje pijn, maar hij was vooral doodmoe.

'… maar pas op. Je vader is hier bij mij, vergeet dat niet.'

Toen liet Roberto zich tegen de rugleuning van de bank zakken. Hij sloot zijn ogen. Leonardo zag dat hij zich niet goed voelde. Misschien had hij wel een dokter nodig.

In de deuropening stond hij stil en keek weer naar hem om. Hij zag dat hij pijn had en heel even bekroop hem een gevoel van medelijden. Toen ging zijn blik naar zijn vader, die bewusteloos op de grond lag. Arme papa…

Leonardo schrok.

Papa had zijn ogen wijd open.

Bijna slaakte Leonardo een gil, maar hij kon zich net op tijd inhouden. Hij keek naar Roberto. Die had zijn ogen dicht en zag er afgepeigerd uit. Hij had niets gemerkt.

Leonardo keek weer naar zijn vader.

Zijn wijd open ogen brachten een geluidloze waarschuwing over. *Sssst! Laat je niet pakken!* Leonardo knikte dat hij het had begrepen. Hoe lang was hij al bij? Kennelijk had hij net gedaan alsof hij bewusteloos was. Wat slim van papa…

Hij bewoog zijn lippen en vormde een zin die Leonardo niet begreep. *Wat?* vroeg hij geluidloos. Moedeloos schudde zijn vader zijn hoofd, en hij herhaalde de woorden met duidelijkere lipbewegingen.

Leonardo deed zijn best het te ontcijferen. In ieder geval een ij. Maar wat nog meer…?

'Wat doe je daar?'

De ontsnapte gevangene had zijn ogen iets geopend en keek hem argwanend aan. Precies op dat moment deed zijn vader ze weer dicht.

'Wat is er?'

'Niets, ik wilde je niet storen. Ik wachtte tot je wakker zou worden.'

'Ik sliep niet, hoor. Reken daar maar niet op.'

'Ja, maar… Ik wilde iets vragen. Hoe wil je je eieren hebben? Met zachte dooier of…'

'Nee, lekker doorgebakken. Je neemt het wel serieus, Leonardo.' Zat hij hem voor de gek te houden? Leonardo wist het niet. Het kon hem ook weinig schelen, op dat moment.

De ontsnapte gevangene glimlachte en deed zijn ogen weer dicht. Bijna op hetzelfde moment deed David ze weer open.

Opnieuw begon hij aan zijn geluidloze boodschap, lettergreep voor lettergreep. Leonardo spande zich tot het uiterste in. Wat zei hij…?

Eindelijk begreep hij het.

Hij-wil-mij-ver-moor-den.

Papa zei: hij wil mij vermoorden! Daarom was de ontsnapte gevangene dus naar hun huis gekomen. Om papa te vermoorden. Dan had hij geen tijd om tot de ochtend te wachten, tot Vincenzo zou komen. Hijzelf moest hem zien te redden en niemand anders.

Hij knikte een paar keer om aan te geven dat hij het had begrepen. Uitgeput van de inspanning liet David zijn hoofd weer hangen. Hij sloot zijn ogen en deed opnieuw alsof hij bewusteloos was.

Eenmaal in de keuken werd Leonardo vreselijk zenuwachtig. Hij moest de ontsnapte gevangene uitschakelen! Maar hoe? Hij had maar weinig tijd, de tijd die nodig was om eieren te bakken…

De eieren! Ja! Dat was de oplossing!

Hij zou hem vergiftigen.

Vergif… vergif… waar kon hij vergif vinden? Misschien als hij er een heel busje peper over leeg strooide… Nee, sufferd, dat zou hij meteen proeven. Misschien kon hij het met mosterd proberen, dat scherpe, smerige spul. Maar papa deed dat altijd op zijn vlees en hem was nog nooit iets overkomen.

'Wat ben je aan het doen? Waarom is het zo stil?' Uit de woonkamer klonk de achterdochtige stem van de ontsnapte gevangene.

'Ik zocht de boter, maar ik heb hem al.'

Leonardo liep naar de koelkast. Hij deed hem een paar keer open en dicht, zodat het leek alsof hij druk bezig was. Hij pakte twee eieren en legde ze op het aanrecht, terwijl hij verwoed naar iets dodelijks zocht…

Pats!

Een van de eieren was eraf gerold en op de grond kapotgeketst.

'Heb je hulp nodig?' vroeg de stem uit de woonkamer.

'Nee, dank je! Het gaat wel.'

Zo goed en zo kwaad als het ging veegde Leonardo met een stuk keukenrol het ei op en gooide het in de vuilnisbak. Hij deed de koelkast weer open en onderwierp de inhoud aan een grondig onderzoek, waaruit hij concludeerde dat er niets in lag dat de ontsnapte gevangene zou kunnen vergiftigen, behalve misschien een stuk geschimmelde kaas.

Hij moest goed nadenken…

Ondertussen kon hij maar beter met de eieren beginnen, om niet de argwaan van de ontsnapte gevangene te wekken. Leonardo pakte de koekenpan met antiaanbaklaag. Hij sneed een stukje boter af en deed dat erin. Toen stak hij het gasfornuis aan. Dat ging heel makkelijk en zonder lucifers. Hij hoefde alleen maar op het knopje te drukken dat vonken maakte met een vrolijk mitrailleurgeluid. Vaak speelde hij met zijn speelgoedpistool en hield tegelijkertijd die knop ingedrukt.

Langzaam smolt de boter. Het siste. Nu moesten de eieren erin. Leonardo pakte er een en tikte het tegen de aanrechtrand. Te hard: de schaal brak in kleine stukjes en het ei gleed half op het aanrecht en half op de grond. Leonardo zuchtte en maakte de boel weer schoon.

Er waren nog maar twee eieren over in de koelkast: hij moest voorzichtig zijn. Eindelijk kreeg hij ze uit hun schaal en in de pan.

'Het is bijna klaar,' kondigde hij luid aan, zodat de ontsnapte gevangene geen kijkje zou komen nemen. Terwijl de eieren lagen te bakken, pakte hij een stoel en zette die voor het keukenkastje. Hij klom erop en deed het deurtje open.

De kast was vol. Papa legde altijd een voorraad aan, omdat de winkels in het dorp ver weg waren. Een heleboel etiketten verdrongen zich voor zijn ogen en brachten hem in de war. Die zou hij nooit allemaal kunnen lezen in de paar minuten die hij nog had…

Hij begon de pakjes en doosjes open te maken, dat ging sneller. Aan de kleur, vorm en geur kon hij dingen herkennen: bloem, suiker, maismeel, koffie, koekjes, jam, cacaopoeder, oploskoffie, pasta, grof zout, tafelzout…

Een groeiend gevoel van wanhoop nam bezit van hem. Hij begon eraan te twijfelen of hij wel echt vergif zou vinden.

Leonardo stootte een pak bloem omver, dat op de grond plofte. Het karton was gescheurd en de inhoud lag op de vloer.

'Kan ik helpen?' riep de ontsnapte gevangene weer uit de andere kamer.

'Nee! Het is klaar.'

Hij stapte van de stoel en pakte de bezem. Hij kon de keuken niet vies achterlaten, dan zou papa boos worden. Maar hij moest ook opschieten. Aarzelend tussen zijn twee taken – schoonmaken en papa redden – koos hij voor een compromis. Hij veegde het hoopje bloem onder het aanrecht, en stelde het echte schoonmaken uit tot een beter moment.

Er was nog een keukenkastje, waar Leonardo niet in mocht komen…

Natuurlijk! Stom! Daar had hij meteen in moeten kijken, in plaats van zijn tijd te verdoen met bloem en suiker.

Opgewonden verschoof hij de stoel en klom er weer op. Het kastje stond propvol met plastic flessen met gekleurde vloeistoffen, die hem dreigend aankeken. Hij wist dat het schoonmaakmiddelen waren: alcohol, chloor, bleekmiddel, zilverpoets… Papa had hem dikwijls gewaarschuwd eraf te blijven: 'Als je hier een slok van neemt, ben je dood.' Precies wat hij zocht dus. Daar had hij eerder aan moeten denken.

Hulpeloos stond Leonardo voor de verzameling flessen.

Welke moest hij kiezen? Die witte, die nog bijna vol was, of...

Ineens rook hij iets. Leonardo keek omlaag en zag dat de eieren aanbrandden. Hij sprong van de stoel en draaide het vuur uit.

'Is het nou klaar?' De ontsnapte gevangene werd ongeduldig.

'Ja, ik kom!' riep Leonardo vlug en zijn stem sloeg over.

Hij had nog maar een paar seconden om een dodelijke stof te vinden voor over de eieren, een soort toverdrank, net zo een als die Tinkelbel had vergiftigd.

Leonardo klom weer op de stoel. Haastig begon hij de etiketten te ontcijferen. B... L... E... bleekmiddel! Hij draaide de dop eraf en rook. Van afschuw wendde hij zijn hoofd af. Zoiets kon hij toch niet over de eieren doen! Dat zou de ontsnapte gevangene meteen merken! Hij ging verder met de ammoniak. Die rook nog erger. Opeens werd zijn aandacht getrokken door een fles die duidelijk met opzet helemaal achterin was gezet, achter alle andere flessen. Hij strekte zijn arm uit om hem te pakken. De letters op het etiket dansten voor zijn ogen, maar hij dwong ze op een rij te gaan staan en zich stil te houden.

K

L

I

KLINNAMON! Klinnamon... Onkruidverdelger! Dat vreselijk sterke spul dat de tuinman gebruikte langs de paden om de villa. Leonardo zag voor zich hoe de tuinman plastic handschoenen aandeed en een masker opzette. Daarna goot hij voorzichtig een scheut uit de fles – een dikke, op honing lijkende vloeistof – in de plantenspuit, lengde het aan met water en ging aan het werk – maar nooit zonder hem te waarschuwen: 'Blijf uit de buurt!'

Natuurlijk, Klinnamon.

Voorzichtig draaide Leonardo de dop eraf om eraan te ruiken. Het had een licht zoete, haast onmerkbare geur. Hij draaide de dop er weer op, zwaaide het kastdeurtje dicht en kwam met de fles in zijn hand van de stoel af.

De eieren lagen te dampen in de pan, de randjes waren zwart geworden. Leonardo maakte de fles open en hield hem schuin, zodat er een klein straaltje uitliep. Hij zag hoe de blonde vloeistof dik over de eieren droop. Hij was gefascineerd door het ogenschijnlijk milde spul, dat toch snel iemands dood kon veroorzaken. De tuinman nam al voorzorgsmaatregelen als hij het verdund met water ging sproeien, wat zou er dan wel niet gebeuren als iemand het puur naar binnen kreeg? Hij stelde zich voor hoe de ontsnapte gevangene stuiptrekkend op de grond lag, ten prooi aan vreselijke krampen.

De Klinnamon mengde zich perfect met de gesmolten boter: Leonardo kon de twee niet meer van elkaar onderscheiden. Tevreden bestudeerde hij zijn kundige werk als gifmenger. Was het zo genoeg? Hij kon zich maar net beheersen om te proeven. Toen goot hij er voor de zekerheid nog een beetje overheen.

'Ben je in slaap gevallen?' vroeg de stem van de ontsnapte gevangene.

'Nee, ik kom eraan.'

Pijlsnel schoof Leonardo de eieren op een bord, dat hij op een dienblad zette. Mes en vork ernaast, glas, servetje, brood en water. Hij tilde het blad op en liep er heel voorzichtig mee naar de woonkamer. Nu niet struikelen!

'Eindelijk!' zuchtte Roberto.

Leonardo wierp een blik op zijn vader, die bleef doen alsof hij bewusteloos was. Hij onderdrukte een glimlach. Straks moest papa wel zeggen hoe goed hij was.

'Eersteklas bediening,' merkte de ontsnapte gevangene op. Toen hij het eten aannam, kreunde hij van de pijn, hij was de wond aan zijn linkerarm vergeten. Hij zette het dienblad op zijn schoot en het water op de grond, zodat het niet zou omvallen.

'Je hebt het letterlijk genomen, zie ik… Lekker doorgebakken.'

Hij glimlachte. 'Trek het je niet aan. Ik vind het heel knap van je. Op jouw leeftijd kon ik nog niet eens brood snijden…'

Leonardo luisterde niet. Hij keek wel naar Roberto, maar hoorde niet wat die zei. Hij staarde naar zijn handen. Kijk, hij spreidde het servet uit op zijn knieën. Hij pakte de vork… zette die in het ei om de eerste hap af te snijden… nog een paar seconden, dan zou alles voorbij zijn… Toch vond hij het erg voor die man. Hij zou ontzettend veel pijn lijden… Misschien ging hij wel niet dood en belandde hij alleen maar in het ziekenhuis. Leonardo nam zichzelf die bezorgde gedachten kwalijk. Hij mocht niet vergeten dat het hier ging om een ontsnapte gevangene, een gevaarlijke boef bovendien, die zijn vader wilde vermoorden. Wat er ook zou gebeuren, hij had het verdiend.

Roberto had de eerste hap afgesneden en op zijn vork geprikt, die hij nu naar zijn mond bracht. Schiet op, spoorde Leonardo hem in gedachten aan, maar hij deed zijn best niets te laten merken. Schiet nou op!

Halverwege zijn mond hield de ontsnapte gevangene de vork ineens stil.

'Heb jij ook honger?'

Eerst begreep Leonardo het niet. Hij dacht dat het monster het tegen hem had. Toen keek hij opzij en snapte het.

Roberto vroeg het aan de hond. Nana was hun kant op gekropen, zo ver de lengte van zijn lijn dat toeliet, en stak nu met zijn kop boven het tafeltje achter in de kamer uit.

'Heb je honger?' herhaalde Roberto. Bij wijze van antwoord spitste de hond zijn oren.

Voor Leonardo in staat was iets te zeggen, te doen of ook maar te bedenken, sneed de man een stukje ei af en gooide dat naar Nana.

'Nee!' schreeuwde Leonardo. Hij vloog naar het dier toe en

was net op tijd om het stukje ei onder zijn snuit vandaan te grissen. De hond keek hem verbaasd en een beetje beledigd aan.

Een soortgelijke verbazing gleed over het gezicht van de ontsnapte gevangene. Een seconde maar. Toen smeet Roberto het bord in een hoek. Het brak in scherven uiteen en de gele sliertjes ei vlogen in het rond

Dreigend kwam de ontsnapte gevangene op hem af.

'Wat heb je erin gedaan?' vroeg hij grimmig.

Hij deed nog een stap in zijn richting.

'Wou je me vergiftigen?'

Nu stond hij pal boven hem. Hij hief zijn hand op, die reusachtig leek van zo dichtbij. Leonardo deed zijn ogen dicht en wachtte op de klap.

'Nee!'

Zijn vader had zijn ogen opengedaan en liet daarmee zijn toneelspel varen.

'Het is zijn schuld niet. Ik heb gezegd dat hij het moest doen.'

De man richtte zijn boosheid op Leonardo's vader. Hij liep naar hem toe, boog zich over hem heen en sloeg hem razend een, twee, drie keer. Maar toen Leonardo gilde: 'Stop! Alsjeblieft, stop!' was dat voldoende om de ontsnapte gevangene te doen ophouden.

Hij was echter nog niet uitgeraasd. Hij kwam overeind en schopte tegen alles om zich heen. De stoelen vlogen in het rond. Hij greep er een bij de rugleuning vast en sloeg die tegen de tafel kapot. Nana raakte van streek en ging liggen. In een hoekje van de kamer maakte Leonardo zich klein en deed net alsof hij er niet was, tot alles voorbij zou zijn.

Papa…

De uitbarsting van geweld had hen uitgeput. David lag buiten kennis op zijn buik, met één wang op de vloer, gesloten ogen en zijn lichaam stram in een verdedigende houding. Dit keer was hij echt bewusteloos: zijn ademhaling klonk zwaar en rochelend. Leonardo zat ineengedoken in de leunstoel. Het was zijn schuld dat het monster zo kwaad was geworden en papa had geslagen. Hij vond het verschrikkelijk dat hij zo tekortschoot. Hij maakte er altijd een puinhoop van. Zo stom… Had hij nou echt gedacht dat hij de ontsnapte gevangene kon vergiftigen? Papa had alle reden om boos op hem te zijn en dit keer waren excuses niet voldoende.

Ook de ontsnapte gevangene was zijn energie kwijt. Leonardo keek behoedzaam zijn kant op, klaar om een eventuele nieuwe woede-uitbarsting te trotseren. Hij merkte dat de man zijn blik ontweek, alsof… ja, haast alsof hij zich schaamde. Hij begreep niet waarom, maar was tevreden met de betrekkelijke rust van het moment. De man ging weer op de bank liggen en strekte zuchtend zijn benen. Een wapenstilstand. Precies waar Leonardo ook naar verlangde. Hij wachtte één minuut, twee, drie, en toen hij zeker was van de rust van de situatie, stond hij zichzelf toe langer te kijken. Nog even. Hij sperde zijn ogen open. De ontsnapte gevangene lag nog steeds roerloos op de bank. Misschien… misschien kon hij…

Toen hij zijn ogen weer opendeed, realiseerde hij zich dat hij geslapen had. Een minuutje maar, misschien twee. Maar geslapen had hij. Hij ging rechtop in de stoel zitten en deed alsof er niets was gebeurd, want hij hoopte dat de ontsnapte gevangene het niet had gemerkt. Hij draaide zich naar hem toe.

Roberto was verdwenen.

De bank was leeg.

Leonardo sprong overeind, liep naar de bank en voelde aan de kussens, alsof de man nog uit de bekleding tevoorschijn zou kunnen komen.

Weg.

Waar was hij? In de keuken? Of…?

Leonardo keek rond. Nergens. Er was geen spoor van de man te bekennen.

Hij keek naar het gasfornuis. Leeg.

En schoon.

Hij was perplex. Hij wist zeker dat hij de half aangebrande pan op het fornuis had laten staan. Hij liep ernaartoe om te controleren. Niets. Niet eens de sporen van het bakken: de piepkleine spettertjes olie overal. Zou Roberto de moeite hebben genomen om schoon te maken? Was hij net zo'n fanaat als papa, die niet tegen viezigheid kon en zelfs de vuilnisbak schoonmaakte tot die glom en lekker rook: 'Ik moet hier in huis ook aan álles denken!' De vuilnisbak… Leonardo trok het kastje onder het aanrecht open, maar de zak was leeg. De keukenrol waarmee hij de eieren had opgeveegd lag er niet in. Toen wierp hij zich op de grond om onder het aanrecht te kijken. Ook de bloem, die hij daar net nog haastig onder had geveegd, was verdwenen.

Verbluft liep Leonardo weer naar de woonkamer, onzeker wat te doen. Nog een keer proberen te vluchten? Maar hoe dan? Hij was bang dat de ontsnapte gevangene hem weer in de val zou lokken.

Waarom had Roberto dit allemaal gedaan? En hoe? Leonardo wist zeker dat hij maar een paar minuten had geslapen. Voor de zekerheid wierp hij een blik op de klok in de keuken en was stomverbaasd over de tijd.

Drie uur.

Volkomen in de war ging Leonardo terug naar de woonkamer, waar het doodstil was. Eén ding stond vast: hij moest eerst papa redden en bij bewustzijn brengen. Hij zou het touw doorsnijden waarmee hij zat vastgebonden en dan zou híj wel weten wat er moest gebeuren. Misschien was Roberto gevlucht. Dat was het slimste wat hij in zijn situatie kon doen. Als hij te lang bij hen in huis zou blijven, zou hij riskeren ontdekt te worden. Leonardo werd overspoeld door enorme blijdschap. Eindelijk was de nachtmerrie voorbij. Ze konden weer terug naar hun dagelijks leven. Het leven dat hem tot een paar uur geleden nog zo vermoeiend had geleken

verstikkend

leek hem nu het fijnste leven van de hele wereld.

'Papa!' riep hij terwijl hij de kamer in rende. Abrupt stond hij stil.

Papa was weg.

Leonardo keek naar de lege plek, waar tot kort geleden zijn vader had gelegen. Hij knielde om de vloer te bestuderen, als een detective op zoek naar de sporen van een misdaad. Er lag helemaal niets. Geen touw, geen voetafdruk, nog geen druppeltje zweet of spettertje spuug. Hij bekeek het oppervlak in het tegenlicht, maar het was glad, schoon en ongeschonden.

Dit had hij niet verwacht. Papa was ook verdwenen. Waar naartoe?

De ontsnapte gevangene had hem meegenomen! Het antwoord lichtte op in Leonardo's hoofd. Natuurlijk! Het monster was ontsnapt en had een gijzelaar meegenomen. Dat maakte alles ingewikkelder. Zonder papa wist hij niet wat hij moest doen. Ja, de politie bellen. Maar hoe dan?

Bang rende hij de gang weer op. Na een paar stappen stond hij stil. Iets verontrustte hem. Iets anders dan de verdwijning van papa, de ontsnapte gevangene en de bloedvlekken. Iets dat hij niet kon benoemen.

'Nana!'

Met een angstig voorgevoel holde hij de kamer weer in. Nog voor hij achter de tafel keek, wist hij wat hij daar zou zien.

Niets. Nana was ook verdwenen.

Er was geen spoor van de hond te bekennen. Zelfs het touw dat aan de verwarming zat vastgebonden was weg.

Nu Leonardo goed keek, zag hij dat ook de sporen van het stukje ei, dat Roberto naar de hond had gegooid, waren verdwenen. En de scherven van het bord ook. Met een ruk draaide Leonardo zich om. Ook die afschuwelijke plas bloed midden in de kamer was weg. Hij had zin om te gillen, maar hield zich in. Hij was alleen achtergebleven, moederziel alleen. Op dat moment miste hij zelfs het gezelschap van de ontsnapte gevangene.

Ze konden toch niet allemaal weg zijn! En na alles te hebben schoongemaakt! Daar hadden ze helemaal geen tijd voor gehad. Ze moesten nog ergens in huis verborgen zijn.

Tot nu toe had Leonardo steeds geprobeerd aan de ontsnapte gevangene te ontvluchten, maar nu waren de rollen omgedraaid: hij ging naar hém op jacht, ging hem uit zijn schuilplaats verdrijven. Hij liep de gang door en ging de trap op. Zonder angst. Eerst keek hij in papa's kamer. Leeg. Toen in zijn eigen kamer. Ook leeg. In de gangkast. Ook niemand. Hij knipte het badkamerlicht aan en ging naar binnen. De badkuip was nog steeds vol – had hij daar echt zes uur geleden rustig in zitten spelen? De motorboot van Kapitein Haak dobberde loom, op zoek naar een aanlegplek. De fles badschuim en het stuk zeep lagen nog op dezelfde plek als waar hij ze had achtergelaten. In het bad dreef de blauwe jojo van plastic. Leonardo viste hem eruit: hij wist niet waarom, maar op dat moment leek het hem absoluut noodzakelijk. Heel even vergat hij in wat voor situatie hij ver-keerde en rolde het touwtje op, wond het om zijn middelvinger en liet de jojo vallen. Het wieltje gleed soepel naar beneden, maar bleef toen plotseling steken. Doelloos bungelde het in de lucht. Verbaasd bestudeerde Leonardo het touwtje. Wat was er aan de hand? O, een knoop in het touwtje... Een kleine knoop had de jojo geblokkeerd. Leonardo staarde ernaar: hij voelde dat het heel belangrijk was...

Boem.

Beneden klonk een geluid. Leonardo schrok op uit de soort van trance waarin hij verkeerde. Hij liet de jojo vallen en liep de trap af. Zijn hart bonsde hoopvol. Misschien was papa terugge-komen, en kon die hem alles uitleggen...

Maar op de begane grond was nog steeds niemand. Leonar-do slenterde door de kamers. Toen hij in de keuken kwam, snapte hij waar het geluid vandaan was gekomen: de deur was dichtgeslagen, waarschijnlijk door een windvlaag.

Hij dacht na. De keukendeur had opengestaan... Misschien waren ze naar buiten gegaan. En waar konden ze anders heen dan naar de kleine steiger onder de villa?

Hij realiseerde zich dat hij op moest schieten. Misschien ging de ontsnapte gevangene precies op dat moment al wel aan boord van de rubberboot. Wat zou hij met papa en Nana doen?

Met Nana en papa?

Hij zou ze mee kunnen nemen, maar dat leek hem moeilijk, met die ruwe zee. Hij zou ze kunnen vrijlaten op de rotsen. Of...

Hij probeerde de reusachtige gedachte te bevatten...

... of hij zou ze in het water kunnen gooien: een getuige en een gevaarlijke hond minder.

Leonardo duwde de keukendeur open en holde naar buiten. Hij remde alleen even af om zijn zaklantaarn aan te doen, maar merkte dat hij die niet nodig had. De volle maan stond rond en groot aan de hemel en verlichtte als een bleke zon de aarde. Leonardo was verbijsterd. Zojuist was de lucht nog zwaarbewolkt geweest, had de wind gehuild en de storm op het punt gestaan los te barsten, en nu…

Zijn gedachten duurden maar kort. Het weer was niet belangrijk. Leonardo rende door de olijfboomgaard en over het stenen paadje dat steil afdaalde naar de steiger. Sommige treden waren van steen en cement, andere waren in de rots uitgehakt. Leonardo ging langzamer lopen, omdat hij niet wilde uitglijden op de natte treden. Nu mocht hij niet vallen. Zijn vingers gleden langs de ijzeren reling, klaar om die vast te grijpen als dat nodig mocht zijn.

Zo, hij was de trap af. Nu stond hij op het kleine steigertje, dat met behulp van kiezels en cement op de rotsen was aangelegd. In het maanlicht zag Leonardo dat de zee kalm en rustig was. Kleine golfjes sloegen tegen de steiger en spatten nauwelijks water op.

Het was er leeg.

De ontsnapte gevangene was er niet, papa was er niet en Nana was er ook niet.

Het was er stil, op het zachte geklots van de golven na.

De steiger was de enige plek die nog was overgebleven. Leonardo wist niet meer wat hij moest doen.

Hij keek op en – waarom had hij dat niet eerder gezien? – zag de loom dobberende rubberboot. Iedere golf duwde de boot naar de steiger toe en trok hem dan weer terug. Telkens verslapte het touw, waarbij het zachtjes op het wateroppervlak rustte, en het kwam dan weer met een ruk strak te staan.

Leonardo keek nog eens goed naar het vaartuig en dacht dat hij aan boord een schaduw zag. Dit verbaasde hem zo, dat hij het eerst niet kon geloven.

De schaduw bewoog in de richting van de achtersteven.

'Papa,' gilde Leonardo, plotseling overspoeld door blijdschap. 'Papa!'

Maar er kwam geen geluid uit zijn mond. Hij ging wel open, maar er kwam niets uit.

'Papa,' schreeuwde hij opnieuw. Er kwam nog steeds geen geluid over zijn lippen. In de boot bewoog de figuur, zonder acht op hem te slaan. Hij ademde zo diep mogelijk in en schreeuwde, of probeerde dat althans, nog één keer.

'Papa…'

I UUR

En niet eens keek of hij hem wel volgde

Leonardo deed net op tijd zijn ogen open om een echte schreeuw te kunnen onderdrukken.

Eén blik om zich heen was voldoende.

De ontsnapte gevangene lag uitgestrekt op de bank. Papa was bewusteloos. Nana lag achter in de kamer. De plas bloed, het kapotte bord, het glas, de wind, het donker. Alles was weer zoals eerst.

Het was maar een droom geweest.

Voorzichtig ging hij rechtop zitten.

Het enige dat hetzelfde was als in zijn droom was de stilte.

Met ingehouden adem wachtte hij af wat er zou gebeuren, maar er gebeurde niets.

Hij keek op de klok hoe laat het was: één uur. Op zijn tenen liep hij naar zijn vader en knielde naast hem neer. Hij ademde minder zwaar dan daarvoor, misschien was zijn bewusteloosheid overgegaan in slaap.

Leonardo stond op en liep muisstil naar de andere kant van de kamer. Ook Nana lag op de grond, met zijn poten vooruit en zijn snuit ertussen. Ook hij sliep – gewond, verzwakt en uitgeput.

Leonardo liep terug naar de zithoek.

Met kleine stapjes kwam hij dichterbij en hield zijn ogen strak op de ontsnapte gevangene gericht, zodat hij zelfs de kleinste beweging zou opvangen. Op een paar meter afstand bleef hij staan. Hij hield zijn adem in en luisterde. Maar er viel niets te luisteren. Roberto bleef roerloos liggen.

Hij kwam nog dichterbij. Er was geen enkel gevaar te bekennen.

Nog twee stappen en hij stond naast hem. Voor het eerst die avond kwam hij boven hem uit. Secondenlang observeerde hij hem. Hij had een sterk, gespierd lichaam. Gespierder dan dat van papa. Langer ook. En jonger. Zijn haar was nat van het zweet en het bloed en zat aan één kant op zijn hoofd geklonterd.

Zijn linkerarm was gewond. De mouw van zijn hemd was gescheurd, en er kwam een grote gestolde bloedvlek onder te voorschijn. In zijn rechterhand hield hij het mes. Zijn broekspijp was ook gescheurd.

Het gevecht met Nana moest heftig zijn geweest. Bijna alle knopen waren van zijn hemd gesprongen, en dus sliep de ontsnapte gevangene nu met ontblote borst. Toch had hij iets kalms over zich. Terwijl hij daar zo lag te slapen, zag hij er niet uit als een monster. Zijn gezicht had iets vertrouwds, al kon hij niet zeggen waarom: hij wist namelijk zeker dat hij hem nog nooit eerder had gezien, zelfs niet op een foto.

Leonardo stopte met observeren, daar was geen tijd voor. Hij moest in actie komen. Hij strekte zijn hand uit naar het mes in Roberto's hand. Met één vinger raakte hij zachtjes het lemmet aan. Het zag er heel lang en scherp uit. Maar hij had geen keus: hij moest het pakken, en zonder hem wakker te maken. Met duim en wijsvinger pakte hij het lemmet – aan de botte kant – vast. Een, twee, drie. Bij drie zou hij trekken: de greep van de ontsnapte gevangene leek niet bijzonder sterk.

Een… twee…

De ontsnapte gevangene maakte een plotselinge beweging. Zijn ademhaling ging over in een kreunend uitgesproken woord, of beter gezegd naam…

'Sharon...'

Ineens bewoog de ontsnapte gevangene. Verstijfd van schrik sprong Leonardo achteruit. Maar de man had zich alleen maar omgedraaid en was niet wakker geworden. Nu lag hij op zijn zij en zijn rechterarm hing bungelend naar beneden. Zijn haar was voor zijn gezicht gevallen.

Langzaam verslapten de vingers van de man hun greep en, zonder dat Leonardo daar iets voor hoefde te doen, gleed het mes met een metalen getinkel op de grond.

Het was zo onwerkelijk stil dat het zachte geluid het effect had van een explosie.

Leonardo kneep zijn ogen dicht en wachtte op een drama. Nu zou iedereen wakker worden: de ontsnapte gevangene, papa en Nana, en wie weet wat er dan zou gebeuren.

Niets.

Er gebeurde nog steeds niets.

Leonardo deed zijn ogen weer open en constateerde dat niemand zich had bewogen. De ontsnapte gevangene niet, papa niet en de hond ook niet. Iedereen lag nog even stil.

Voorzichtig stak Leonardo zijn hand uit, centimeter voor centimeter. Zachtjes raakte hij het mes aan, sloot zijn hand erom en pakte het op.

Opgetogen over dit kleine succes staarde hij naar het glimmende lemmet. Zonder een moment te aarzelen rende hij naar papa. Hij wist wat hem te doen stond. Eerst tikte hij hem zachtjes aan, toen harder. Hij schudde hem door elkaar. Zijn vaders hoofd bungelde slap heen en weer.

'Papa...' fluisterde Leonardo. Tevergeefs. Hij was te hard geslagen. Papa kwam niet bij bewustzijn.

Nou, dan moest hij hem eerst maar eens losmaken. Leonardo stak het mes achter het touw, en gaf een ruk. Hij had verwacht dat het touw het onmiddellijk zou begeven, maar het bleef heel. Niet een van de strengen was doorgesneden.

Leonardo probeerde het opnieuw, hield het wapen nu met beide handen vast en maakte zagende bewegingen. Het touw verzette zich en bezweek niet. Na een paar uiterst inspannende pogingen, toen zijn armspieren al pijn deden, realiseerde Leonardo zich dat het niet zou lukken. In de film ging het altijd makkelijk: ze staken het mes onder de knoop en tsjak, klaar. De werkelijkheid was duidelijk anders. Met al zijn kracht had hij maar net een inkeping kunnen maken. Dit zou tijd kosten, veel meer tijd dan hij had.

De ontsnapte gevangene maakte een raar geluid en ging verliggen.

Doodsbenauwd keek Leonardo over zijn schouder. Heel even dacht hij erover Nana te bevrijden. Misschien zou hij zijn lijn wél loskrijgen.

Maar de hond lag roerloos op de grond: hij leek half bewusteloos. Hij zou hem niet kunnen helpen.

De ontsnapte gevangene zuchtte diep en mompelde iets in zijn slaap.

Leonardo keek naar hem. Hij had geen tijd meer. Straks zou het monster wakker worden en was zijn kans voorbij. Hij moest opschieten. Hij moest handelen. Nu meteen.

Leonardo begreep dat er nog maar één mogelijkheid over was. Eigenlijk wilde hij niet, maar hij had geen andere keus.

Langzaam liep hij naar de man. Hij moest aan Peter Pan denken, aan die vrolijke en onbezorgde jongen, die toch wreed genoeg was geweest om de hand van Kapitein Haak eraf te hakken en aan de krokodil te voeren.

Leonardo stond naast de ontsnapte gevangene, hij torende boven hem uit. Hij domineerde hem. Met twee handen hield hij het mes vast en hief het boven zijn hoofd. Even keek hij naar zijn vader. Hij moest wel, hij had geen andere keus. Als hij papa en zichzelf wilde redden, moest hij hem doden.

Hij dacht na waar hij hem zou steken. Midden in zijn borst?

Nee, niet precies in het midden. Papa had hem geleerd dat je hart een beetje naar links zat. Maar wat was ook alweer links? Hij vergiste zich altijd en dan werd papa boos. 'Je weet toch wel wat rechts is?' Simpel, rechts is de hand waarmee je eet. Behalve als je links bent natuurlijk. Maar de ontsnapte gevangene lag half gedraaid onder hem. In die positie was het niet makkelijk om te bedenken wat de linkerkant van zijn vijand was. Uit angst het verkeerd te doen, volgde Leonardo liever zijn oorspronkelijke plan: het midden dus. Zo nodig kon hij altijd nog een tweede keer steken.

Om kracht te kunnen zetten, hield hij het mes hoog boven zijn hoofd: hij zag eruit als zo'n Azteekse priester die op het punt staat een mens te offeren, dat had hij een keer op een plaatje in een boek gezien.

Toen zag hij het.

Onder hem, tussen het warrige haar op Roberto's hoofd.

Een litteken.

Leonardo liet het mes zakken en strekte zijn hand naar de slapende man uit. Voorzichtig verschoof hij een lok haar en het litteken werd scherp en duidelijk zichtbaar op de schedel, precies bovenop.

Het was een oude snee, lang en onregelmatig, gehecht met een tiental steekjes. Leonardo staarde er gebiologeerd naar. Hij werd duizelig en verloor alle besef van plaats en tijd.

Pas een hele poos later kon hij zijn blik losmaken. Hij wist toen dat hij nooit de moed zou hebben om Roberto te doden. Hij liep naar de antieke kist die tegen de muur stond en bukte. Hij verborg het mes eronder. Daar hoefde hij tenminste niet meer bang voor te zijn.

Toen holde hij naar de keuken. Hij ging een schaar halen. Hij moest onmiddellijk een schaar hebben. Waarom had hij al die tijd verspild aan een mes, terwijl hij het touw met een schaar veel sneller door zou krijgen? Wat was hij toch dom...

Hij trok het tweede keukenlaatje van boven open en graaide tussen de notenkraker, de blikopener, de kurkentrekker, de soeplepel en de schuimspaan, zonder te letten op het lawaai dat hij daarbij maakte... Hij kwam een vleeshamer tegen. Hij keek er even naar en vroeg zich af of hij die misschien kon gebruiken. Hij kon er Roberto mee op zijn kop slaan, en hem bewusteloos krijgen zonder hem al te zeer te verwonden. Leonardo schudde zijn hoofd en gooide het ding terug bij de andere rommel. Hij ging verder met zoeken. In deze la lag alles, behalve een schaar. Voor het eerst in zijn leven snapte hij het nut van opruimen. 'Alles heeft zijn plek,' zei zijn vader altijd, terwijl hij dan heimelijk baalde.

Waar was die schaar nou? Papa kocht vaak nieuwe, het huis lag vol met scharen, ze lagen overal, want papa had er een hekel aan als hij er geen kon vinden en hij, Leonardo, verzamelde ze op zijn kamer, omdat hij er eerst een pakte en die vervolgens vergat, zodat hij altijd weer een nieuwe uit de keuken ging halen als hij er een nodig had, want daar lag er altijd wel een en dan hoefde hij niet te zoeken... Hij vond dus altijd wel een schaar, behalve nu natuurlijk, nu hij hem het hardst nodig had.

'Wat zoek je?'

Leonardo schrok zich dood. Hij draaide zich om.

Roberto stond tegen de deurpost geleund en keek hem geamuseerd aan. Eén arm – de rechter, zijn goede – hield hij achter zijn rug.

'Wat zoek je?'

Leonardo begreep dat het een retorische vraag was. Hij zat hem gewoon voor de gek te houden. Hij kon wel huilen. Hij had het toch echt geprobeerd. Maar hij had de beste kans om deze nachtmerrie te beëindigen laten lopen.

'Kijk eens wat ik gevonden heb,' zei Roberto, en hij haalde zijn arm achter zijn rug vandaan.

In zijn hand hield hij het mes. Hetzelfde mes dat Leonardo onder de kist had verstopt.

Leonardo was verbijsterd. Roberto kon het niet toevallig hebben gevonden, door zomaar een beetje hier en daar te kijken. Zo snel zou hem dat niet gelukt zijn. Er was maar één verklaring mogelijk. Roberto had niet liggen slapen. Misschien was hij wakker geworden toen hij naast hem stond, of misschien toen het mes op de grond was gevallen. Of misschien had hij wel helemaal niet geslapen en de hele tijd gedaan alsof. Alleen zo had hij hem in de gaten kunnen houden en kunnen zien waar hij het mes had verstopt. Maar... dat betekende dat hij hem op de proef had gesteld. Hij had hem de kans gegeven hem te doden. Waarom?

'Kom,' zei Roberto, die weer naar de woonkamer liep en niet eens keek of hij hem wel volgde.

We zullen zien

'Van wie is dit ding?'

In zijn hand hield de ontsnapte gevangene het harpoengeweer, een Merou Carbon. Leonardo voelde een rilling over zijn rug lopen. Was hij van plan op hem te schieten? Met een ervaren beweging zette Roberto de kolf tegen zijn buik. Toen trok hij met beide handen het elastiek strak en haakte het niet op de eerste, maar op de tweede stand vast, zodat het de meeste kracht zou hebben. Ondanks zijn angst moest Leonardo de vlotheid wel bewonderen waarmee het wapen werd gespannen. Hij wist dat het zwaar was, en Roberto had het zonder zichtbare moeite gedaan.

Met één hand hield de man de harpoen vast, en testte de balans. Toen hield hij hem voor zich uit en richtte op de nog steeds bewusteloze David.

'Je mag een wapen nooit op een persoon richten,' zei Leonardo op verwijtende toon. Dat zei papa altijd.

Roberto draaide zich naar hem toe, en liet het harpoengeweer zakken.

'Nou, van wie is-ie?'

'Van papa. Hij vist ermee.'

'Jij ook?'

'Nee, ik vis met een hengel. En soms met een sleeplijn. Ik vind onder water zwemmen eng. Dat kan ik niet.'

'Ik heb weleens geprobeerd hiermee te vissen, maar ik houd er niet van. Wat is er nou leuk aan om op een vis te schieten? Je richt, mikt, en hup, je hebt hem. Dat is toch veel te makkelijk?'

Leonardo luisterde zwijgend.

'Natuurlijk moet je je adem inhouden terwijl je duikt, heb je weinig tijd tot je beschikking, moet je de vissen opjagen… maar eigenlijk is het gewoon een krachtproef. Het is een strijd op leven en dood tussen twee dieren, het roofdier en de prooi. Zo viste de mens miljoenen jaren geleden ook al.'

Voorzichtig legde de ontsnapte gevangene het harpoengeweer terug op de tas met duikspullen.

'Ik houd van vissen met een hengel. Dat is heel anders. Je moet niet sterk zijn, maar slim. Zelfs de neanderthalers konden een puntige stok zoeken en die in de buik van een forel spiesen, maar een hengel konden ze niet maken. Dat heeft namelijk niets met kracht te maken, maar met intelligentie. Je moet de lijn en de dobber prepareren, een goede haak hebben en het juiste aas. Dan moet je een geschikte plek uitkiezen, en het juiste moment en licht afwachten. Het is een wedstrijd in geduld en slimheid, jij tegen de vis. Vissen zijn ook slim en kennen alle trucs. Jij vangt de vis niet, hij láát zich vangen, dat is het moeilijke. Jij zet alleen de val en wacht dan tot hij erin zwemt.'

Leonardo luisterde geboeid. Zo had hij het nog nooit bekeken. Sterker nog, hij had gedacht dat hengelen iets voor meisjes was. Papa lachte hem altijd uit. Uitgedost als een krijger dook hij de zee in, met zijn zwarte duikpak, zwemvliezen en het harpoengeweer met de glimmende speer. Leonardo had het nooit durven zeggen, maar het harpoengeweer vond hij eng en de opengereten vissen die papa triomfantelijk mee naar boven nam, vond hij zielig.

'Moet je kijken,' zei de ontsnapte gevangene en hij pakte het harpoengeweer weer op. 'Hier, dit is de speer die wordt afgeschoten. Die lijkt op een haak, vind je ook niet? Een lange haak,

maar toch een haak. De speer zit vast aan een hele dunne volglijn, waarmee de vis teruggehaald wordt. De lijn zit om een mo-
len gerold. Je vader schiet, de speer gaat razendsnel door het water met de volglijn erachteraan. De speer doorboort de vis, en je
vader haalt de lijn weer binnen. Waar doet je dat aan denken?'

Leonardo luisterde verward. Wat wilde hij horen? Wat was
het goede antwoord?

'Het is gewoon een hengel, toch? Haakje, lijntje, molentje.
Het harpoengeweer is een hengel maar dan anders. De har-
poenvissers doen ons na. Met één verschil: wij gebruiken ons
verstand. Zij alleen brute kracht.'

'Niet,' protesteerde Leonardo. 'Zo is papa niet.'

'O nee?' vroeg Roberto, en plotseling betrok zijn gezicht.
'We zullen zien.'

Als je nog wilt, tenminste

Roberto liep naar David, die nog steeds bewusteloos op de grond lag.

'Ik heb al te veel tijd verspild. Het moest maar eens afgelopen zijn.'

Vanuit een hoekje volgde Leonardo stilletjes zijn bewegingen. Hij begreep niet wat de man van plan was. Het was toch een ontsnapte gevangene? Dan hoefde hij zich toch alleen maar te verstoppen? Vluchten en verstoppen. Wat wilde hij nog meer?

Roberto pakte het glas dat Leonardo hem eerder op de avond samen met de eieren had gebracht. Hij deed er water in, liep ermee naar zijn vader en smeet het in zijn gezicht. David knipperde met zijn ogen, waar donkere kringen omheen zaten. Op zijn rechterwang was een grote blauwe plek verschenen.

'Eindelijk.'

Roberto herhaalde de handeling. Ten slotte opende David moeizaam zijn ogen. Even keek hij versuft om zich heen, maar hij herinnerde zich toen alles weer en op zijn gezicht tekende de moedeloosheid zich af.

'Wakker worden,' beval Roberto ruw.

'H-h-hoe laat is het?' vroeg David.

'Het is nog nacht. Wakker worden. Je hebt genoeg geslapen.'

Bij wijze van antwoord deed David zijn ogen weer dicht,

maar Roberto greep hem bij zijn hemd en schudde hem hard door elkaar. David moest zijn ogen wel weer openen.

'Ik heb geen zin meer in spelletjes. Wakker worden.'

David knikte. Hij zou luisteren. Verbaasd en bang zag Leonardo dat kleine gebaar van overgave. Dat was niks voor papa, om zo toe te geven. Papa was de sterkste, slimste en koppigste man op de wereld…

Roberto boog zich over David heen en vroeg: 'Waar is de kluis?'

Leonardo schrok. De kluis? Dus daar was hij op uit! In papa's kluis lag vast geld. Wat stom dat hij daar niet eerder aan had gedacht. Natuurlijk, de ontsnapte gevangene moest vluchten, maar waar kon hij heen zonder geld?

Die ontdekking stelde hem op een bepaalde manier gerust. Een geldprobleem was eenvoudig op te lossen. Als de ontsnapte gevangene papa zou hebben neergestoken, of Nana, of hemzelf, was dat heel erg geweest. Maar geld… Voor Leonardo was geld een grootse maar vage eenheid, iets tussen de aarde en God in, waar grote mensen naar believen over beschikten en wat zij op toverachtige wijze reproduceerden.

'Waar is de kluis?' drong Roberto aan.

Leonardo's vader schudde zijn hoofd, alsof de vraag te moeilijk was.

'Kom op, ik vraag het niet nog een keer. Waar is de kluis? Als jij je mond dan niet opendoet, laten we dat stuk papier wel spreken.'

Het duurde even voor Leonardo die geheimzinnige informatie had verwerkt. *Als jij je mond dan niet opendoet, laten we dat stuk papier wel spreken.* Welk stuk papier? Terwijl hij op het gezicht van de ontsnapte gevangene naar een aanwijzing speurde, snapte Leonardo het. Natuurlijk, een stuk papier. Een schatkaart! Eindelijk viel alles op zijn plaats. Roberto wist dat papa in de tuin een schat had verborgen, en wilde die in bezit nemen.

Hoe hij het wist, was een raadsel dat hij nu niet wilde oplossen. Dat was ook niet belangrijk: misschien had iemand hem erover verteld, de tuinman wellicht die altijd met spaden en harken in de weer was, of misschien had hij het gewoon geraden. Papa was een veel te belangrijke man om geen schat te hebben. En wie een schat heeft, tekent meestal een kaart om hem terug te kunnen vinden.

'Nou, waar is-ie?'

David sloot berustend zijn ogen.

'We hebben geen kluis,' fluisterde hij.

'Wat? Zeg dat nog eens.'

David sperde zijn koortsige en blauw geslagen ogen wijd open.

'We hebben geen kluis,' herhaalde hij luider. 'We hebben geen kluis!' Hij schreeuwde.

Leonardo luisterde verward. Waarom ontkende papa het bestaan van de kluis? Ze hadden wél een kluis en hij wist ook waar die was.

Roberto zag er weer gemeen uit.

'Zeg op. Ik weet zeker dat je een kluis hebt. Er is altijd wel een kluis.'

David schudde zwijgend zijn hoofd.

'Waar is de kluis?' schreeuwde Roberto nog één keer en hij hief zijn arm al op om David te slaan. Maar Leonardo gilde: 'Nee, je hebt het beloofd!' Toen zachter: 'Je hebt beloofd dat je hem niet meer zou slaan.'

Roberto liet zijn arm zakken.

'Ik wil alleen maar weten waar de kluis is. Dat is alles. Ik doe hem geen kwaad. Maar hij moet het me vertellen.'

Leonardo keek naar zijn vader.

'Vertel het dan, papa, toe nou! Het geeft toch niets als we hem kwijtraken...'

Roberto draaide zich nieuwsgierig om.

'Als we hém kwijtraken? Waar heb je het over?'

Leonardo aarzelde, terwijl hij van Roberto naar zijn vader keek en van zijn vader naar Roberto. Hij besloot het erop te wagen.

'Over de schat, die papa in de tuin heeft verborgen. De kaart ligt vast in de kluis. Ik weet wel waar die is… Papa doet altijd zijn kamer op slot, als hij hem openmaakt…'

Roberto keek hem verbijsterd aan. Toen glimlachte hij.

'Je hebt gelijk, Leonardo. Er ligt een schatkaart in de kluis, ook al is het misschien niet precies wat jij je erbij voorstelt. Het is nog veel kostbaarder…'

David hief teleurgesteld zijn ogen ten hemel. Maar Leonardo ging gewoon door.

'Het is een echte schat, hoor… met diamanten, robijnen, parels en antieke munten.'

Niemand had hem dat verteld, maar hij wist het zeker. Alleen zo'n schat kon zijn vaders voorzorgsmaatregelen verklaren. Waarom wilde papa dat nou niet aan de ontsnapte gevangene vertellen? Er bleven toch nog altijd de robijnen in de badkamer over? Dat geheim zou hij nooit verklappen.

Roberto kwam overeind en torende hoog boven David uit.

'Kom op, we gaan die schatkaart halen. Laat maar eens zien waar de kluis is, Leonardo.'

David schraapte zijn keel. Hij boog zijn hoofd en spuugde. Er kwam een klodder bloed uit zijn mond.

'Ik heb frisse lucht nodig,' rochelde hij. 'Je hebt me bijna vermoord.'

Roberto dacht na. Het leek ongevaarlijk.

'Vooruit dan, heel eventjes. Dan gaan we naar boven en doe jij de kluis open.'

David knikte.

'Goed, dan gaan we naar boven en doe ik hem open.'

Leonardo was blij. Eindelijk zag papa in dat verzet nutteloos was. Een paar diamanten en parels waren onbelangrijk. Wel belangrijk was dat de ontsnapte gevangene hen in leven zou laten. Als dit goed zou aflopen, zoals het er nu naar uitzag, zou hij nooit meer kattenkwaad uithalen of dingen doen waar papa boos om werd en voortaan braaf zijn huiswerk maken om goed te leren lezen en schrijven. Dat zweerde hij.

'Vooruit, opstaan.'

Roberto wrikte het mes achter het touw waarmee Davids armen zaten vastgebonden en schijnbaar moeiteloos sneed hij het door.

Met zijn enig bruikbare arm, de rechter, hielp de ontsnapte gevangene Leonardo's vader overeind: een gecompliceerde operatie, want zijn enkels zaten nog vastgebonden. David wankelde. Hij viel bijna om, maar Roberto ondersteunde hem. Toen hij eindelijk zelf rechtop bleef staan, liet Roberto hem los.

'Frisse lucht,' smeekte David.

Roberto schoof de gordijnen opzij en opende het grote raam dat vrijwel de hele wand besloeg. Een harde, zilte wind woei het huis in en deed de gordijnen wapperen. David leunde op de vensterbank en ademde gretig de nachtlucht in.

'Hier was ik echt aan toe.'

'Vooruit, niet te lang blijven staan. We gaan naar boven.'

'Nog heel even.'

Op dat moment stopte David, met een onverwacht snelle beweging voor iemand in zijn omstandigheden, zijn hand in zijn broekzak.

'Wat...' zei Roberto, maar het was al te laat.

David haalde er iets uit en gooide dat met een bliksemsnelle beweging het raam uit, het duister van de olijfboomgaard in.

Roberto zag het gebeuren zonder te kunnen ingrijpen.

'Wat was dat?' vroeg hij woedend.

De vader van Leonardo toverde een spottende glimlach te-voorschijn.

'De sleutel van de kluis. Laten we nu naar boven gaan. Als je nog wilt, tenminste.'

Kom op, held, we gaan weer naar binnen

Vanaf dat moment ging alles razendsnel. De twee mannen probeerden elkaar wanhopig te overmeesteren en zaten vast in een wurggreep van armen en benen, van kreten, scheldwoorden, vuistslagen, en nog meer armen, tanden en benen. David en Roberto rolden heftig vechtend over de vloer. Leonardo stond er geschrokken bij, maar deed niets. Zo'n agressie had hij nog nooit gezien, ook niet als de jongens uit het dorp elkaar in de haren vlogen. Als kinderen vochten, wist je tenminste dat het maar een spelletje was en als je riep: 'Ik geef me over', was het voorbij en was je weer vrienden.

De mannen botsten tegen de tafel op, gooiden stoelen omver en ook de fles water die Leonardo naar de ontsnapte gevangene had gebracht, ging kapot. Het bruisende bronwater liep over de grond.

Ineens gaf David zijn tegenstander een harde elleboogstoot in zijn gezicht en maakte van Roberto's duizeligheid gebruik om te schreeuwen: 'Hollen, Leonardo!'

Roberto duwde zijn hand in Davids mond om hem het zwijgen op te leggen, maar die beet erin en schreeuwde nog een keer: 'Hollen, Leonardo, hollen!'

Roerloos stond Leonardo naar hen te kijken.

'Maak dat je wegkomt!' riep zijn vader en de man klemde een arm om zijn nek.

Hij stond echter aan de grond genageld. Kon hij papa wel alleen laten? Moest hij hem niet te hulp komen? Hij had al eerder gefaald, in de tunnel…

'Wegwezen!' gilde zijn vader hysterisch.

Eindelijk stoof Leonardo weg. In een fractie van een seconde had hij zijn besluit genomen. Papa was een volwassene, die wist wat er moest gebeuren. En hij moest doen wat hem gezegd werd, dan kwam vast alles goed.

Waarheen kon hij vluchten? Hij had nog maar één mogelijkheid: de boot, beneden aan de steiger.

Hij rende de woonkamer uit en schoot de keuken in. Zonder te stoppen stak hij zijn hand uit naar het haakje waar de sleutels aan hingen. Hij zou niet dezelfde fout maken als de vorige keer, toen hij zonder sleutels naar de boot was gevlucht. Hij griste ze van het haakje en vloog naar buiten, het donker in. Onder het hollen haalde hij Tinkelbel uit zijn zak en knipte die aan: in zijn droom had de vollemaan de weg verlicht, maar nu had hij echt zijn zaklamp nodig.

Op dat moment beefde de aarde. Een donderslag klonk heel dichtbij. Verdwaasd keek Leonardo omhoog naar de lucht. Eén reusachtige regendruppel viel op zijn voorhoofd. Binnen een paar tellen sloeg de stortregen op de kust. Toen hij de boomgaard kwam uitgerend, was hij al kletsnat. Zijn T-shirt en broek plakten tegen zijn huid, en de snijdende wind deed hem rillen van de kou. Ineens zakte de moed Leonardo in de schoenen. Niet eens zozeer door de moeilijke situatie waar hij zich in bevond, als wel door de gevolgen die de storm kon hebben. Zijn enige hoop was gevestigd op zonsopgang: om zes uur zou Vincenzo komen en zou de nachtmerrie voorbij zijn. Tenminste, dat had hij gedacht, en daar had hij voor gevochten. Met dit weer was het echter niet waarschijnlijk dat hun vriend zou komen vissen. Sterker nog, dat kon helemaal niet. Zijn enige kans op hulp van buitenaf was dus verkeken. Hij moest zichzelf niet meer voor de gek houden: de enige hoop op redding lag nu in zíjn handen.

Daarom rende hij door, ondanks de wind, de regen en zijn sombere gedachten. Hij holde de rotstreden af, naar de steiger toe. Halverwege de trap gleed hij uit. Gelukkig kon hij zich nog net op tijd aan de roestige leuning vastgrijpen om niet in het water te vallen. Hij sloeg met zijn rug tegen de treden. Even werd het zwart voor zijn ogen en voelde hij alleen nog maar een stekende pijn.

Toen hij weer gewoon kon ademhalen, kwam hij moeizaam overeind. Zijn rug deed zeer, maar hij kon wel lopen. Hij keek om zich heen en zag zijn zaklamp liggen. De lichtbundel wees omhoog naar de hemel. Leonardo liep verder de trap af, maar nu voorzichtiger. Harde windstoten belaagden hem. En hij werd niet alleen nat van de regen, maar ook van het koude zeewater dat door de golven werd opgespat.

Eindelijk stond hij op de steiger. De golven waren zo hoog dat ze boven hem uittorenden. De boot, een Novamarine 460 met een 25pk-Mercury-motor, schommelde angstaanjagend op en neer, en iedere keer leek het of hij op de rotsen te pletter zou slaan. Maar het anker, dat midden in de kleine baai was uitgeworpen, hield hem op zijn plek. Nóg wel in ieder geval.

Aarzelend beef Leonardo op de steiger staan. Met dit weer kon hij onmogelijk de zee op gaan, dat zou hem in zijn eentje nooit lukken.

Hij draaide zich om en keek omhoog naar het huis. Hij zag een glimp van het verlichte woonkamerraam, maar verder niets. Hij kon er niet van uitgaan dat papa de ontsnapte gevangene had verslagen. Dus moest hij opschieten. Iets bedenken. Maar wat? En waar? Hij kon niet verdergaan en terug evenmin. Dus…?

De lichtpijlen.

De lichtpijlen van de boot!

Die moest hij halen en afschieten. De kustwacht zou ze zien en onmiddellijk komen. Dat was zijn laatste kans.

Hij keek naar de hoge golven, die door de storm werden opgezweept en op de klippen sloegen. Hij werd altijd heel onrustig van noodweer, waarom wist hij niet. Als de wind huilde en de zee opzwol, had Leonardo het gevoel dat zijn leven aan een zijden draadje hing. In het water werd de boot heen en weer geslingerd als de dobber van een vishengel.

Je moet het doen. Je hebt geen andere keus.

Misschien moest hij de boot iets naar de kant toe trekken, voor hij erin kon springen. Om de steiger te verlichten legde hij zijn zaklamp op de rots, en kwam in actie. Hij greep de landvast, maar de boot maakte een onverwachte beweging en het touw gleed zo hard en ruw weer uit zijn hand, dat hij zijn handpalmen openhaalde.

'Au!' schreeuwde hij. De boot dobberde op het water. Hij moest het nog een keer proberen. Voorzichtiger pakte hij het touw, klaar om het los te laten als het te gevaarlijk werd. Het ging strak staan, en hij volgde die beweging door zijn arm te strekken. Toen de boot door de golven weer naar de kust werd geduwd, sloeg Leonardo het touw razendsnel een keer om de meerpaal. De teruglopende golf trok de boot naar achteren, maar de landvast was nu korter en daardoor bleef de boot dichter bij de kant. Leonardo glimlachte tevreden. Het was gelukt. Nu nog een keer.

Hij wachtte op een minder hoge golf, klemde het touw stevig vast en kon het ditmaal zelfs twee keer om de paal slaan. Nog een keer en de boot zou bij hoog water de rotsen raken. Hier moest hij het bij laten: met een nog korter touw, riskeerde hij dat de boot te pletter zou slaan. En de Novamarine was zijn enige ontsnappingsmiddel.

Hij wachtte het juiste moment af. Toen hij dacht dat de boot zich op de juiste hoogte en afstand bevond, wierp hij zich naar voren met zijn handen voor zich uit om de veiligheidskabel beet te pakken die om de boot heen zat. Maar hij miste en kon zichzelf nog net op tijd naar achteren gooien, zodat hij niet in het water viel. Hard kwam hij op de ruwe steiger terecht en haalde zijn broek open. Leonardo keek omlaag naar het kolkende, donkere water. Hij wist zeker dat hij er nooit meer uit gekomen zou zijn, als hij in die duistere diepte was gevallen.

Hij kwam overeind. Door de regen zat zijn haar aan zijn hoofd vastgeplakt. Een pluk hing voor zijn ogen. Met een driftig gebaar veegde hij hem weg. Zijn omgeving zag er voortdurend anders uit, want de regendruppels liepen in banen over zijn brillenglazen.

Wijdbeens ging hij klaarstaan voor een tweede poging. De zuigende kracht van het water sleurde de boot achteruit en hij kwam met een klap naar beneden. In het midden bleef hij even stil hangen, voor een nieuwe golf hem de hoogte in slingerde. Toen werd de boot aan de kant waar het anker zat naar achteren getrokken en kwam weer omlaag. Dit is het moment, dacht Leonardo.

Opnieuw wierp hij zich met vooruitgestoken handen naar voren. Hij pakte de kabel om de boot stevig vast, zoals hij van plan was geweest. Maar hij had geen rekening gehouden met het zeewater, de regen en de kou, waardoor zijn spieren stijf waren. De kabel glipte dan ook uit zijn handen, terwijl zijn gewicht al naar voren hing. Hij probeerde zich nog vast te houden door op de een of andere manier de bolle zijkant van de boot te omarmen. Overdag en bij zonnig weer zou het hem zijn gelukt. Maar het rubber was nat en glibberde weg. Hij probeerde zich met zijn laatste krachten vast te klemmen, maar toen kon hij niets meer doen, hij gleed langs de zijkant van de boot omlaag en viel in zee.

Het water was koud en donker. De wereld was weg en vervangen door een koude, kolkende en ziltige stroom, die hem ruw heen en weer slingerde. Toch lukte het hem met zijn hoofd boven water te komen. Hij hapte naar adem en het voelde alsof hij opnieuw geboren was. Tijdens de val was hij zijn bril kwijtgeraakt, maar ook zonder wist hij dat hij vlak bij de rotsen was: hij moest oppassen er niet tegenaan te smakken. Hij moest papa nadoen: de juiste golf afwachten, zijn voeten op het wankele trapje aan de steiger zetten, zich door de kracht van het water omhoog laten duwen en zich op het droge hijsen. Het zou met deze hoge golven niet makkelijk zijn, maar hij moest het proberen.

Wild met zijn armen en benen spartelend – zijn kleren maakten hem vreselijk zwaar, zodat zwemmen nog veel vermoeiender was – liet Leonardo zich door een reeks torenhoge golven op en neer schommelen, waarbij hij op veilige afstand van de kust bleef: niet zo dichtbij dat hij te pletter zou slaan en niet zo ver weg dat hij door de stroming zou worden meegetrokken. Zonder bril was het nog lastiger de afstand in te schatten. Ineens leek het alsof de wind even was gaan liggen. Kom op, sprak hij zichzelf moed in, nu moet het lukken.

Met twee snelle beenslagen dreef hij op een golf mee. Het water sloeg tegen de rotsen en hees hem omhoog. Leonardo stak zijn voet uit en voelde het gladde oppervlak van de metalen traptrede. Hij wierp zich naar voren op zoek naar de reling. Die vond hij. Inmiddels had het water zijn hoogste punt bereikt en ging bijna weer naar achteren. Hij had nog maar een paar tellen voor de kracht van de zee hem zou meesleuren. Net toen hij dacht dat het gelukt was, gleed op het laatste moment zijn hand weg. Leonardo probeerde de reling vast te houden, maar de golf had hem al in zijn macht. Met bovenmenselijk geweld werd hij achteruit gesleurd. Hij voelde niets meer, behalve het schuimende zoute water dat hem overspoelde en naar beneden trok. In zijn longen zat geen lucht meer. Met zijn laatste beetje wilskracht vocht Leonardo tegen de stroming. Hij had geluk: net op dat moment zakte het touw van de boot onder water en zag hij het vlak voor zijn neus hangen. Vlug pakte hij het vast. Bij de volgende golf werd hij door het touw boven water getrokken, zijn redding tegemoet. Met een ruk kwam Leonardo tot aan zijn borst uit het water en hij hield zijn mond wijd open om een nieuwe voorraad lucht in te slaan.

Hij had er echter geen rekening mee gehouden dat de aanwezigheid van het touw ook die van de boot betekende, die vlak achter hem dreef. Teruggetrokken door het touw aan de steiger, kwam de boot razendsnel op hem af gegleden. Net toen hij dacht dat hij veilig was, raakte de kiel van fiberglas hem vol op zijn hoofd.

Hij voelde een vreselijke pijn, en toen niets meer. Op een vage en verre manier – net zoals gebeurde als hij papa 's ochtends vroeg piano hoorde spelen wanneer hij zelf nog lekker half lag te slapen – merkte hij dat hij naar beneden zonk. Toch voelde hij zich goed, beter dan ooit eigenlijk. Op twee meter diepte was er nauwelijks nog iets van de storm te merken en was het water kalm. Het omwikkelde hem als een zachte, beschermende deken, en niets of niemand kon hem lastigvallen. Ondertussen zakte hij naar de bodem van de zee…

Plotseling werd hij bij zijn enkel gegrepen. Wat was dat? Wie was dat? Waarom lieten ze hem niet met rust? Het was net zo fijn om naar de zeebodem te glijden. Hij trok zijn been naar zich toe, in een poging aan de greep te ontsnappen. Maar iets of iemand had hem stevig beet, want hij kon niet loskomen. Om zijn borst voelde hij ook iets, een arm leek het wel, die hem tegenhield en hem toen mee naar boven sleurde. Ik wil niet, dacht hij, laat me toch hier blijven.

Zijn onbekende redder wist echter niets van dit verlangen en tegen zijn wil ging hij steeds verder mee omhoog. Zijn oren deden pijn. Toen kwam hij boven water en wakkerde de aanraking met de koude nachtlucht zijn overlevingsinstinct weer aan. Hij spuugde eerst een heleboel water uit en wilde toen een grote hap zuurstof nemen, maar moest flink hoesten. Eindelijk kon hij weer ademhalen. Aaaahhh… Hij voelde zich als herboren.

Langzaam keerde het besef van zijn omgeving terug. De steiger, de boot, het trappetje… Buiten de vervormde werkelijkheid van het water viel alles weer op zijn plaats. Tussen de golven zocht hij zijn redder. Vast en zeker papa. Lieve papa, sterke papa. Hij zou altijd van hem houden.

Tot zijn grote verbazing was het natte, hijgende gezicht naast hem van iemand anders.

Het was van Roberto.

Híj was hem komen redden. Waarom?

'Hou vol!' schreeuwde hij. 'Ik help je de steiger op.'

Zonder op antwoord te wachten, duwde Roberto hem naar de trap. Hij had sterke armen en het was fijn om zich door hem te laten leiden. Met zijn hand gaf Roberto hem in het kolkende, schuimende water een flinke duw onder zijn billen. Leonardo vond de treden van de trap en pakte de reling vast. Bijna werd hij weer naar achteren getrokken, maar Roberto hield hem tegen. Het water liep van zijn lichaam af, en ineens was Leonardo eruit. Hij klom de laatste treden op en stond eindelijk op de steiger, op het droge. Toen merkte hij pas hoe moe hij was. Door de opwinding had hij kunnen meewerken, maar eenmaal buiten gevaar, kregen de pijn en de vermoeidheid de overhand. Hij moest hevig hoesten en spuugde al het water uit dat nog in zijn longen zat. Drijfnat ging hij op de steiger liggen bijkomen, met gesloten ogen en ongevoelig voor de striemende regen.

Hij tilde zijn pijnlijke hoofd op. In de zee zag hij Roberto, die probeerde uit het water te komen: hij liet zich op een golf meevoeren, pakte met zijn rechterhand – zijn goede – de trap en landde met een kleine sprong op de rotsen. Ook hij ging uitgeput liggen om op adem te komen.

Gelukkig was er niemand gewond geraakt. Het was een naar avontuur geweest, maar zonder ernstige gevolgen. Leonardo was blij dat het gevaar was geweken en sloot zijn ogen.

Toen hij ze weer opendeed, zag hij papa met zijn benen aan weerszijden van Roberto's lichaam staan, hoog boven hem uittorenend.

In zijn hand hield hij het harpoengeweer, gericht op Roberto's borst.

'Kom op, held, we gaan weer naar binnen.'

2 UUR

En deed de deur achter zich dicht

Roberto liep voorop. Zijn drijfnatte kleren zaten tegen zijn lichaam geplakt. Hij kwam maar langzaam vooruit, want hij liep mank en moest regelmatig stoppen om op adem te komen. David liep vlak achter hem en hield het geweer tegen zijn rug geduwd. Een harpoengeweer had niet de kracht van een gewoon geweer, maar op die afstand – minder dan een meter – zou de speer dwars door hem heen gaan. Leonardo liep achteraan. Zijn natte kleren voelden aan als een steenkoud harnas. Zonder zijn bril liep hij op de tast, en hij struikelde vaak.

'Doorlopen,' beval David, toen Roberto uitgeput stopte. Met de zaklamp wees hij de weg.

Roberto stond voorovergebogen en hoestte hevig.

'Wacht even, ik kan niet meer,' bracht hij uit.

Bij wijze van antwoord porde David hem met de harpoen tussen zijn ribben.

'Doorlopen, zei ik.'

Leonardo kon het wel uitschreeuwen van vreugde. Eindelijk was de nachtmerrie voorbij. Papa had de situatie overgenomen, zoals hij trouwens steeds had verwacht, en hem gered. Nu hoefden ze alleen nog maar de politie te bellen. Die zou de ontsnapte gevangene komen halen en dan konden zij hun vertrouwde leventje weer oppakken.

Toch had hij een vreemd voorgevoel. Papa keek nog steeds

grimmig en behoedzaam, alsof het gevaar helemaal niet was geweken. Er bestond natuurlijk de mogelijkheid dat Roberto zou proberen te vluchten, of zich zou verzetten. Maar in tegenstelling tot hijzelf, zou papa dan zonder aarzeling schieten en de ontsnapte gevangene als een zeebaars doorboren. Daar was Leonardo van overtuigd. Hij kende hem. Toch zag hij zijn eigen opgeluchte gevoel niet terug in de ogen van zijn vader, alsof ze twee zenders waren die niet op dezelfde golflengte zaten.

Er was nog iets. Helemaal achter in zijn hoofd, waar hij liever niet rondsnuffelde, zat een laatje waarop stond: TELEURSTEL-LINGEN. Als hij dat zou opentrekken, zou Leonardo een nare gedachte tegenkomen. Waarom was de ontsnapte gevangene hem wel komen redden en papa niet? Goed, hij zat vastgebonden en het was geen gelijkwaardige strijd geweest, maar toch was het vertrouwen in zijn almachtige vader beschadigd geraakt. En er was nog iets anders: Roberto had zijn leven gered. Kon hij hem nog wel als een monster beschouwen? En als hij zou proberen te ontsnappen, was het dan wel rechtvaardig om hem neer te schieten?

Zijn hoofd tolde van de vragen. Gelukkig was het aan de grote mensen om die te beantwoorden.

Ze kwamen bij het huis. Bij de keukendeur aarzelde Roberto even, en kreeg weer een por met de harpoen tussen zijn ribben.

'Ik…' begon hij, maar hij werd onderbroken.

'Naar binnen jij.'

In de woonkamer kwamen de wind en de regen door het open raam naar binnen. Onder de vensterbank lag een grote plas water. Het eerste dat Leonardo deed was een lade van het dressoir opentrekken, er de koker met zijn reservebril uit vissen en die op zijn neus zetten. De wazige wereld werd eindelijk weer scherp.

Nana lag nog steeds op dezelfde plek en keek waakzaam uit zijn ogen. David maakte hem los. De hond jankte van blijdschap en sprong op Leonardo af om zijn handen te likken.

'Op je plaats,' beval David, toen het dier niet ophield met zijn enthousiaste begroetingen. Nana ging liggen en keek in aanbidding naar hen op.

'Jij gaat droge kleren halen,' beval David Leonardo. 'We zijn allemaal drijfnat.'

Leonardo gehoorzaamde, net als de hond. Hij ging naar boven. Voor zichzelf haalde hij een onderbroek, een spijkerbroek, een T-shirt en een trui. Daarna ging hij naar zijn vaders kamer en graaide willekeurig wat kleren bij elkaar. Hij liep de kamer al uit, maar bedacht zich toen. Even stond hij in gedachten verzonken op de drempel, ging toen de kamer weer in en deed de deur achter zich dicht.

Verlamd door de aanblik van de dood

'Hier ben ik weer,' kondigde Leonardo aan toen hij de woonkamer binnenstapte.

'Daar heb je ook lang over gedaan,' zei David. 'Kleed jij je maar eerst om.'

Hij hield het harpoengeweer op de ontsnapte gevangene gericht. Uit schaamte draaide Leonardo zich om. Snel deed hij zijn natte kleren uit, gooide die op de grond en trok de droge aan. Toen hij klaar was, gaf zijn vader hem de harpoen.

'Houd hem in de gaten.'

Leonardo hield het harpoengeweer op de ontsnapte gevangene gericht. Om dat voor elkaar te krijgen, moest hij zijn blik afwenden. Het wapen was loodzwaar, en met twee handen kon hij het maar net omhooghouden. Als de man zou bewegen, zou hij hem dan kunnen neerschieten? Hij bad stilletjes dat hij daar niet achter hoefde te komen. Gelukkig verroerde Roberto zich niet.

David kleedde zich in een mum van tijd om.

'Zo, dat is beter.'

Hij nam de harpoen over en met zijn vijand onder schot, ging hij op de bank zitten.

'En hij dan?' vroeg Leonardo.

'Wat?'

'Zijn kleren…' en hij knikte naar de tweede set kleren die hij naar beneden had gebracht.

'We doen niet aan liefdadigheid.'

'Maar hij is drijfnat en…'

hij heeft me gered

'Luister goed, Leonardo. Als hij ons huis niet was binnengedrongen, zou jij nooit in het water terecht zijn gekomen en bijna zijn verdronken. Het is allemaal zijn schuld. Eigenlijk heeft hij je in het water gegooid en je er daarna weer uit gehaald. Je bent hem dus niets verschuldigd, snap je?'

Leonardo luisterde verwonderd. Misschien had papa wel gelijk en was Roberto nog steeds een monster.

Hij had een waardige uitstraling, ook al stond hij weerloos en rillend voor hen, droop het water van hem af en zat zijn lange, natte haar aan zijn schouders geplakt.

'Op de grond,' beval David.

'Wat ga je doen, papa?' vroeg Leonardo bezorgd. Maar David gaf geen antwoord. Hij pakte het touw waarmee hij zelf vastgebonden had gezeten, gaf de harpoen weer aan Leonardo en in een oogwenk, met de trefzekere bewegingen van iemand die goed met touwen overweg kan, knoopte hij twee stukken aan elkaar tot één lang touw.

'Ga liggen,' herhaalde hij, omdat Roberto niet in beweging was gekomen.

Tergend langzaam gehoorzaamde de ontsnapte gevangene. Op zijn rug ging hij op de ijskoude vloer liggen.

'Andersom. En handen op je rug,' gebood David. De man gehoorzaamde.

Leonardo's vader bond zijn polsen zo strak aan elkaar, dat het touw in zijn huid sneed.

'Je doet me pijn,' klaagde Roberto.

'Hou je mond.'

Het touw was lang. David bond het ook om zijn enkels en knoopte het vast. Tevreden keek hij naar het resultaat. Roberto kon zich onmogelijk verplaatsen, want iedere beweging zou uiterst pijnlijk zijn.

'Dus jij wou de waarheid weten, hè?'

Hij gaf hem een harde trap tegen zijn borst. Roberto kreunde en kromp ineen van de pijn.

'De waarheid is dat jij een geboren verliezer bent,' zei David, en hij trapte hem weer, nu in zijn zij.

Leonardo stond er ongemakkelijk bij. Het geweld maakte hem bang en hij zou willen zeggen dat het zo genoeg was, maar hij durfde niet. Papa wist wat goed was en tenslotte had die man hen urenlang gegijzeld gehouden en met een mes bedreigd. Bovendien had papa gelijk: het was zijn schuld geweest dat hij bijna was verdronken. Een paar trappen had hij dus wel verdiend.

Op de tweede trap volgde echter een derde en toen een vierde. Roberto probeerde ze niet eens meer te ontwijken. Hij was gebroken door de vermoeidheid en de pijn, maar David was nog niet gekalmeerd. Sterker nog, doordat hij de vijand in zijn macht had raakte hij door het dolle heen.

'Schoft!' schreeuwde hij en hij trapte met zijn hak tegen Roberto's bil. 'Zo leer je het wel af je met ons te bemoeien!'

Bij de zoveelste trap scheurde Roberto's huid open, waar die ter hoogte van zijn heup tussen zijn broek en hemd uitkwam. Het bloedde flink en hij verloor zijn bewustzijn.

'Papa…' riep Leonardo zachtjes.

David hoorde hem niet eens.

'Papa…' riep hij iets harder.

David reageerde niet.

'Papa…' riep hij nog harder. Hij pakte zijn vaders hemd vast en trok eraan.

'Wat is er?' vroeg David ruw en hij draaide zich naar hem om.

'Zo is het wel genoeg, papa…'

Het leek wel alsof David hem niet herkende. Geërgerd trok hij zich los en maakte aanstalten om opnieuw te trappen. Leonardo stortte zich op hem.

'Hou op!'

Eindelijk leek David zich bewust van zijn aanwezigheid en kreeg hij zichzelf weer onder controle.

'Wat is er?'

'De mobiele telefoon doet het niet.'

David reageerde niet. Hij staarde naar de bewusteloze Roberto aan zijn voeten, alsof die een moeilijk oplosbaar probleem vertegenwoordigde.

'Papa…'

'Ja?' Hij keek niet op.

'Papa… We moeten de politie bellen.'

Daar schrok zijn vader van. Hij keek verbaasd, alsof hij daar nog niet aan had gedacht.

'De politie, je hebt gelijk…'

Leonardo was blij dat het hem was gelukt zijn vader af te leiden.

'Je mobieltje doet het niet. Ik heb geprobeerd te bellen, maar ik kreeg geen verbinding. En van de vaste telefoon heeft hij de draden eruit getrokken.'

Vol vertrouwen wachtte hij tot papa een oplossing zou bedenken. Dat zou hem zonder twijfel lukken. Maar David keek koortsachtig en besluiteloos om zich heen.

'We kunnen met de auto gaan,' stelde hij voor.

'Wat?'

'Met de auto, papa…'

'Nee, dat is veel te gevaarlijk.' Papa sprak op zijn normale, bazige toon. Hij schudde zijn hoofd. 'Iemand moet op hem letten, terwijl ik rijd. En jij kunt dat niet.'

Leonardo keek teleurgesteld naar de grond. Toen kreeg hij een idee.

'We kunnen hem in de kofferbak stoppen!' Dat had hij vaak gezien in de films op televisie, waar hij stiekem naar keek.

'We gooien hem erin en doen de klep dicht,' probeerde hij zijn vader te overtuigen. Hij wilde niet alleen een einde maken aan de nachtmerrie, maar vooral ook laten zien dat hij slim was. Als papa nu maar op zijn voorstel zou ingaan…

'Goed dan,' zei David na een tijdje. 'Ik ga naar de garage en maak de kofferbak van de auto open. Ik bereid alles voor, want ik wil niet voor verrassingen komen te staan. Jij wacht hier.'

Leonardo keek hem smekend aan, maar durfde niets te zeggen.

'Waar ben je bang voor?' vroeg David ongeduldig. 'Hij is toch bewusteloos en vastgebonden? Ik blijf maar heel even weg.'

Hij gaf hem geen kans antwoord te geven en liep via de keuken naar buiten. Leonardo bleef alleen achter met de ontsnapte gevangene, die roerloos op de grond lag. Hoe hij ook probeerde zich groot te houden, vanbinnen voelde hij zijn angst weer toenemen. Wat als hij wakker werd? Of als papa niet terugkwam? Of als…

'Dat gaat niet lukken.'

Hij schrok van de stem achter zich. Met een ruk draaide Leonardo zich om. Zijn vader was zonder dat hij het gehoord had door de voordeur weer binnen gekomen. Met een zucht liet hij zich op de bank vallen.

'Hoezo?' vroeg hij teleurgesteld.

'Hij heeft de banden lek gestoken. Die klootzak heeft ook overal aan gedacht.'

Roberto bewoog. Hij kreunde. Langzaam kwam hij weer bij bewustzijn.

Moedeloos zakte Leonardo op een stoel. Wat nu? Even leek het allemaal goed te komen, maar het was een doodlopende weg geweest…

'We moeten iets bedenken,' zei David.

'We kunnen de lichtpijlen afschieten,' opperde Leonardo. 'Die wilde ik net ook…'

Davids gezicht klaarde op.

'Goed zo, de lichtpijlen van de boot. Als we die afschieten, komt de kustwacht meteen. Ga jij ze maar halen. Ik houd hem in de gaten. Zie je dat? Hij wordt al wakker.'

Leonardo was bang. Terug naar de steiger? Waar hij zojuist bijna was verdronken?

'Niet bang zijn. Hier, doe dit aan.'

David trok de garderobekast open en haalde er een gele olie-jas uit, zo een die ze aandeden als ze in de herfst gingen varen.

'Dan word je niet nat.'

'Maar hoe moet ik de boot…'

'Je hebt gelijk. Wacht hier.'

David ging het berghok in. Hij kwam eruit met een pikhaak.

'Zo, hier kun je de boot makkelijk mee naar je toe trekken. Doe rustig aan en breng jezelf niet in gevaar.'

Maar alleen in de boot stappen was al gevaarlijk! Leonardo kon het wel uitschreeuwen van angst, maar hield zich in. Papa had hem nodig en hij mocht hem niet teleurstellen.

Met tegenzin trok hij de oliejas aan. Hij hield de pikhaak in zijn hand en liep naar de deur. Hij zag eruit als een piepklein soldaatje dat ten strijde trok.

Hij bewoog zich als een robot terwijl hij zijn hand uitstak om de sleutels te pakken, die papa hem aanreikte. David had ze uit de zak van zijn drijfnatte broek gevist, die in de kamer op de grond lag. Langzaam liep hij naar buiten.

Zijn vader riep hem terug.

'Wacht even.'

Hoopvol draaide hij zich om. Had papa zich bedacht?

'Schiet de lichtpijlen niet meteen af. Neem ze mee hiernaar-toe.'

Verward keek Leonardo hem aan.

'Neem ze mee hiernaartoe, dat is beter. Met dit weer worden ze eerder gezien als we ze van boven afschieten.'

Leonardo knikte. Papa had gelijk. Papa had altijd gelijk.

Hij trok zijn rode rubberlaarzen aan, die zoals altijd in de keuken stonden, en ging naar buiten. De regen geselde de bomen. Hij voelde de druppels als kleine waterkogels tegen zijn jas petsen.

Hij liep op zijn gemak de boomgaard door. Hij had toch geen haast meer. Roberto was uitgeschakeld en hulp halen was het enige wat er nog moest gebeuren. Heel voorzichtig stapte hij de treden van de trap af. Hij moest zich niet bezeren, net nu hij aan groter gevaren was ontsnapt.

Eenmaal op de steiger scheen hij met zijn zaklamp op de grijze Novamarine die op de koppen van de golven heen en weer deinde. De situatie leek veel minder eng, nu hij niet meer achtervolgd werd. Leonardo vroeg zich af hoe hij zojuist in het water had kunnen belanden. De boot kwam zo dicht bij de steiger dat een kleine sprong genoeg was om erin te springen. Uit voorzorg sloeg hij toch de landvast maar om de pikhaak. Hij ging mee met de beweging van de boot, en hield hem toen stevig vast. Hij was heel dichtbij, op hoogstens een halve meter. Hij hoefde alleen maar zijn been op te tillen, over de rand te klimmen en erin te stappen, met de pikhaak in zijn hand. Hop, hij zat er al in. Dat ging makkelijk.

Onmiddellijk duwde de golf hem omhoog, en even later zakte hij weer omlaag. Maar Leonardo was niet bang meer. Hij voelde zich zeker van zichzelf. Hij wist waar hij moest zoeken. Sinds ze aan zee woonden, had papa hem alles uitgelegd wat hij moest weten. Hij had hem de verschillende reddingsmiddelen laten zien en voorgedaan hoe ze werkten.

Leonardo opende het plastic deurtje van de bergruimte onder het roer en zag meteen de doos met Red Flame-lichtpijlen. Hij propte hem onder zijn oliejas, in zijn broek. Toen pakte hij de pikhaak weer en ging op de boeg staan, om het juiste moment af te wachten. Bij een minder hoge golf pakte hij de landvast en trok er hard aan. Zachtjes kwam de boot tegen de rots.

Leonardo zette een voet op de rand en sprong op de steiger. Gelukt! Hij was uiterst tevreden over het gemak waarmee hij de manoeuvre had uitgevoerd.

Hij keek om naar de Novamarine, die weer aan de golven was overgeleverd. Nu twijfelde hij er niet meer aan dat hij, als dat nodig mocht zijn, aan boord zou kunnen springen, de motor zou kunnen starten en ervandoor zou kunnen gaan.

Het doosje met de lichtpijlen prikte akelig in zijn heup. Hij deed zijn hand onder de jas om het te verschuiven. Hij zou er vast eentje kunnen afschieten. Hij wist hoe het moest. Papa had hem een keer 's winters, toen er verder niemand op zee was, meegenomen naar open zee, precies voor de punt van Mesco, en het hem voorgedaan. Toen moest Leonardo het nadoen. Hij was bang geweest dat de lichtpijl in zijn gezicht zou afgaan, maar David had zo streng gedaan en aangedrongen, dat hij uiteindelijk de dop had afgeschroefd en de cilinder had ingedrukt, terwijl hij zijn hoofd ter bescherming de andere kant op draaide. De slecht afgeschoten pijl was in een slappe boog iets verderop in het water terechtgekomen. Teleurgesteld had David zijn hoofd geschud.

Dit keer zou het anders gaan. Nu wist Leonardo niet alleen wat hij moest doen, maar bovenal vóélde hij dat hij het kon: goed en nauwkeurig. De dop eraf draaien, zijn arm naar boven uitstrekken, de cilinder indrukken en zonder bang te zijn afwachten tot de rode gloed het donker zou verlichten.

Hij stond op het punt tot actie over te gaan, toen een gevoel van schuldbesef hem tegenhield. Papa had gezegd dat hij moest wachten. In het donker en in de regen zou een laag afgeschoten pijl inderdaad niet goed te zien zijn. Of had papa het alleen maar gezegd omdat hij geen vertrouwen in hem had? Hij werd gekweld door twijfels. Er zaten zes pijlen in de doos, zelfs als hij er eentje zou verspillen bleven er nog vijf over.

Leonardo bleef op de steiger staan dralen, aarzelend of hij

nou koppig of gehoorzaam moest zijn. Uiteindelijk zag hij ervan af. In gedachten verzonken liep hij de rotstreden weer op naar de olijfboomgaard.

Terwijl hij door de boomgaard liep, schoot hem plotseling iets te binnen. Wat stom! Hij had papa niet over het sms'je verteld! Hoe kon hij dat zijn vergeten? Zodra hij thuis was, zou hij direct…

Ineens keek Leonardo op. Hij dacht dat hij iets hoorde, uit het huis. Hij hield zijn adem in. Ja, daar was het weer. Geschreeuw! Zelfs door de huilende wind heen kon hij het duidelijk horen. Nog een keer. Opgewonden geschreeuw. En Nana was ook flink aan het blaffen.

Leonardo holde verder en hield de pikhaak stevig vast. Hij was buiten adem, maar schonk daar geen aandacht aan. Hij rende de keuken in. Normaal gesproken deed hij zijn modderige laarzen uit zodra hij binnen was, of zelfs nog buiten: hij wist hoezeer vieze voetstappen op een schone vloer papa konden irriteren. Maar nu rende hij gewoon door.

Leonardo kwam de kamer in. Wat hij daar zag deed zijn adem stokken.

De storm joeg brullend door de kamer. De gordijnen zwiepten woest in de lucht en klapperden als geweerschoten. De niet-vergrendelde luiken sloegen wild heen en weer. Roberto stond overeind met zijn rug naar de muur en zijn drijfnatte kleren tegen zijn lijf geplakt. In een instinctieve, verdedigende houding zocht hij met zijn rug steun bij de muur. Aan zijn polsen hingen de touwen waarmee hij vastgebonden had gezeten en waarvan de uiteinden nu over de grond sleepten. Tegenover hem, met een woedende grimas op zijn gezicht, stond papa. In zijn hand hield hij een mes – hetzelfde dat Roberto eerder had gehad – en wees daarmee naar hem. Naast hem zat Nana met ontblote tanden in de aanvalspositie.

David zag hem staan.

'Pas op, Leonardo! Hij heeft zich losgewurmd en probeert te vluchten!' schreeuwde hij, zonder zijn blik van zijn vijand af te wenden.

Verbluft keek Leonardo naar Roberto.

'Dat is niet waar, Leonardo! Hij…'

Het duurde maar een ogenblik: de eerste keer in die eindeloze nacht dat Leonardo twijfelde.

Meer tijd had hij niet. David wierp zich op zijn tegenstander.

'Houd je bek of ik vermoord je!'

Hij stak en mikte op het hart. Op hetzelfde moment, alsof hij groen licht had gekregen, stortte ook Nana zich op de keel van de man.

Leonardo zag niets meer. Zijn angst verblindde hem. Toen hij weer bij zinnen kwam, lag Nana met bebloede vacht op de grond. Hij trapte met zijn achterpoten, alsof hij probeerde op te staan. Uit zijn keel kwam een vreselijk, wanhopig gerochel. Een bloederige slijmdraad hing van zijn snuit naar de grond. Met een plotselinge beweging rolde Nana om en Leonardo verstijfde van afschuw.

Het mes stak uit zijn buik. De hond trapte nog, maar steeds zachter, en verstarde toen.

Alle drie stonden ze als verlamd naar de doodsstrijd van het dier te kijken. David hernam zich als eerste. Hij sprong naar de andere kant van de kamer en pakte het harpoengeweer van de grond. Hij draaide zich om en richtte het op de ontsnapte gevangene.

Roberto en Leonardo waren nog steeds verlamd door de aanblik van de dood.

Ik ben je vader

Eindelijk kon Leonardo zich uit de ban van het gruwelijke schouwspel losmaken. Hij liet de pikhaak vallen, rende naar zijn hond, knielde naast hem neer en sloot hem in zijn armen. Slap viel Nana's kop opzij, zijn tanden waren ontbloot. Hij duwde zijn gezicht tegen de snuit van het dier, zonder te letten op het bloed dat hem besmeurde. Hij wilde hem niet loslaten. Als hij al zijn liefde zou aanwenden, zou Nana weer tot leven komen, net als Wendy op Nimmerland.

'Nana, Nana…' riep hij steeds. Hij schudde hem zachtjes door elkaar. 'Nana, geef nou antwoord…' Want volgens hem kon zijn hond hem echt antwoord geven. 'Nana, alsjeblieft, we brengen je nu meteen naar de dokter. Hij zal je genezen, het is vast niet ernstig…'

Met kleine passen kwam David dichterbij. Hij bukte en tikte hem zachtjes aan.

'Het heeft geen zin meer, Leonardo. Hij is dood.'

Leonardo draaide zich om en keek op naar zijn vader. David probeerde hem te troosten.

'Het was een brave hond. Hij is gestorven terwijl hij ons verdedigde.'

Leonardo begon niet te huilen. Onverwachts ging hij ertegen in.

'Niet waar,' siste hij en hij liet zijn woede de vrije loop. 'Jij hebt hem vermoord.'

Verbaasd keek David hem aan.

'Maar het was een ongeluk. Nana …'

Leonardo schudde zijn hoofd, alsof hij ook een hond was en water uit zijn vacht schudde.

'Jij hebt hem neergestoken. Jij hebt hem vermoord.'

'Maar je hebt het zelf gezien. Hij probeerde te vluchten…'

Weer schudde Leonardo zijn hoofd, net zoals Nana dat altijd deed.

'Roberto probeerde niet te vluchten. Hij stond met zijn rug tegen de muur.'

'Maar hij is gevaarlijk. Je hebt toch gezien hoe hij mij sloeg?'

Leonardo keek hem aan, maar gaf geen antwoord.

'Ik weet niet hoe, maar hij heeft de touwen losgekregen…'

Leonardo luisterde en probeerde zich te laten overtuigen. Maar hij bleef wantrouwig. Hij had gezien hoe goed David de ontsnapte gevangene had geboeid. Hij was een goede visser en kende de juiste knopen. Die van zijn vader waren moeilijk los te krijgen, voor wie dan ook. Voor iemand wiens handen en voeten gebonden waren, was het zelfs onmogelijk.

Leonardo schudde onthutst zijn hoofd.

'Ik weet echt niet hoe hij het voor elkaar heeft gekregen. Ik had me even omgedraaid en toen ik weer naar hem keek, stond hij daar, los. Hij wilde me schoppen. Gelukkig was Nana erbij…'

Leonardo luisterde al niet meer. Hij stond David alleen maar aan te kijken en plotseling had hij het gevoel dat hij hem helemaal niet kende. Was hij echt zijn vader? Het was lastig om zijn beeld van papa te laten samenvallen met dat van een gewelddadige man, die tegen hem stond te liegen…

Nee, besloot hij toen, en hij voelde dat hij brak met zijn verleden en zijn toekomst. Hij wist nog niet wat er echt was gebeurd terwijl hij op de steiger was geweest, maar zeker niet dat wat papa nu vertelde. Waarom loog hij? Er hadden zich die avond zoveel mysteries opgestapeld, dat hij alles wel in twijfel moest trekken.

'Laat maar, papa.' Hij hoorde niet wat David zei, maar hij wilde het ook niet meer weten.

Liefdevol legde hij Nana's kop op de grond en hij stond op.

'Laat maar,' zei hij nog een keer. 'Ik moet je iets laten zien.'

Leonardo liep naar Roberto, die het hele schouwspel stil had gevolgd.

'Buig eens voorover.' En hij voegde eraan toe: 'Alsjeblieft.'

Roberto gehoorzaamde met tegenzin en boog zich voorover, alsof hij een buiging maakte.

'Nog iets verder.'

Roberto boog nog iets verder voorover. Zijn haar viel voor zijn gezicht.

Leonardo stak zijn hand uit. Met één vinger schoof hij behoedzaam een lok uit het midden opzij. Op de schedel werd het litteken zichtbaar.

'Kijk,' zei hij en hij liet het aan zijn vader zien.

David kwam dichterbij. Hij keek naar de gehechte snee.

Roberto ging weer rechtop staan.

'Een auto-ongeluk,' legde hij uit. 'Jaren geleden, in Hongarije. De dokter was niet zo goed.' Hij begreep Leonardo's belangstelling niet.

Die was echter nog even zeker van zijn zaak.

'Het is de ladder,' zei hij. 'De ladder die ik altijd in mijn droom zie.'

David keek hem niet-begrijpend aan.

'Welke ladder?'

'Dat heb ik je toch verteld. Ik droom vaak dat ik aan het vliegen ben, net als Peter Pan. Het is een heel onrustige vlucht: ik ga steeds op en neer, en omhoog en omlaag, maar ik ben niet bang, want ik weet dat me niets zal overkomen. Onder me staat een boom en tussen de bladeren hangt een ladder. Als ik klaar ben met vliegen, word ik vastgepakt door de boomtakken en klim ik langs die ladder naar beneden.' Hij wachtte even. 'Toen ik net dat litteken op zijn hoofd zag, herkende ik het meteen. Het is de ladder uit mijn droom.'

'Maar Leonardo, waar heb je het over…'

'Het is hem echt. Ik herken hem. Zeker weten.'

'Hou op met fantaseren, Leonardo. Het is gewoon een litteken, meer niet. Ik…'

Leonardo viel hem in de rede.

'Ik weet het zeker, papa. Ik kan niet uitleggen waarom, maar het is echt de ladder uit mijn droom.'

Roberto knikte glimlachend. Hij strekte zijn armen naar hem uit.

'Kom eens hier…'

Onzeker keek hij hem aan, maar deed toch een stap in zijn richting.

'Waar ga je heen? Niet doen,' gebood David. 'Hij wil je gijzelen.' David probeerde hem tegen te houden, maar Leonardo rukte zich los. David bleef staan met de harpoen, die nu geen nut meer had, in zijn hand.

Leonardo stond voor Roberto. Die bukte en tilde hem op, maar bleef kreunend van de pijn steken. Hij had last van zijn arm.

'Je bent zwaar,' zei hij, waarop Leonardo bloosde alsof dat een compliment was. Hij vond het altijd zo erg dat hij dun en slap was.

Met moeite kreeg Roberto hem tot ooghoogte opgetild.

'Ben je er klaar voor?'

Hij gooide hem een paar centimeter in de lucht. En ineens begreep Leonardo het. Hij begreep zijn steeds terugkerende droom en het gelukkige gevoel dat hem iedere keer overspoelde. Dit was precies zoals de haperende vlucht die hij zich herinnerde en daarbeneden – hij keek naar het litteken op Roberto's hoofd – was de ladder, die hij in zijn slaap zo dikwijls had gezien. Zoals iemand zich tegen de stroom in een weg baant door een menigte, zo probeerde een hele verre herinnering bij hem naar boven te komen. Op en neer, omhoog en omlaag, sterke handen die hem in de lucht gooiden, een mengeling van angst en opwinding…

Zachtjes zette Roberto hem weer op de grond. Leonardo's herinneringen brachten hem in de war. Ze zaten diep in hem begraven en schoven aarde opzij om naar het licht te komen. Hij deed een stap achteruit en David maakte daar gebruik van door Roberto's polsen weer vast te binden. Deze liet hem begaan. Al zijn aandacht was op Leonardo gericht.

'Hoe kan dat?' vroeg die. 'Hoe kan het dat ik me jouw litteken herinner. En dat jij me in de lucht gooit?'

Roberto glimlachte en keek gelukkig.

'Ik ben je vader.'

Laten we horen wat hij te vertellen heeft

'Je bent gek!'

Dreigend kwam David op Roberto af, met de harpoen in de hand.

'Je bent gek,' herhaalde hij in zijn gezicht. Zonder zijn stem te verheffen. Kalm, alsof hij iets onbelangrijks oplas.

Roberto antwoordde niet. David draaide zich om naar Leonardo.

'Laat je niet van je stuk brengen. Deze truc is zo oud als de wereld. Als je toch moet liegen, doe het dan goed zodat iedereen je gelooft.'

Davids stem klonk ver weg. Leonardo had het gevoel alsof zijn hoofd onder water zat. Om hem heen klonk alles zachter. Toen hij een halfuur geleden in zee was gevallen, had hij vergeefs geprobeerd boven te komen: zo kon hij nu niet bij de waarheid komen, die ontglipte hem zoals het trappetje waarmee hij zich op het droge had willen hijsen. Was Roberto echt zijn vader? Een deel van zijn hersenen duwde die ontdekking weg, niet eens zozeer uit logische, als wel uit emotionele overwegingen. Leonardo *wilde niet* dat Roberto zijn vader was: dat zou de weinige zekerheden waarover hij nog beschikte onderuithalen. Maar tegelijkertijd dwong een rationeler deel hem kritisch te kijken naar wat er allemaal was gebeurd, naar de vreemde tegenstrijdigheden in papa's gedrag. Leonardo voelde zich zoals die keer dat een jongetje in de speeltuin had verklapt dat de Kerstman niet bestond, en dat alles door ouders in scène werd gezet. Leonardo had toen zijn schouders opgehaald en hooghartig gezegd: 'Dat weet ik ook wel, hoor.' Maar vanbinnen was er een bom gebarsten. De Kerstman bestond niet… dat kon hij, of liever, dat wílde hij niet geloven. Hij vermeed zorgvuldig er met papa over te praten en in de nacht van 24 december hield hij zijn ogen en oren goed dicht, zodat hij de waarheid niet zou ontdekken. Op die manier, door er gewoon niet aan te denken, was het hem gelukt nog een heel jaar in de Kerstman te geloven. Hij had het gevoel gehad dat hij de Kerstman had geréd, net zoals in *Peter Pan* de kinderen Tinkelbel redden, die door Kapitein Haak was vergiftigd, alleen maar met hun geloof in het bestaan van feeën. Nu moest hij papa redden, zijn eigen papa zoals hij die al die jaren had gekend, van wie hij had gehouden en ja, voor wie hij ook bang was geweest.

Door zijn zwijgen kwam er een scheurtje in Davids zelfverzekerdheid.

'Kom op, Leonardo. Je gelooft toch niet echt dat deze vent, die je in je hele leven nog nooit gezien hebt…'

Onderzoekend keek Leonardo hem aan, maar hij zei niets. David kon zijn zin niet afmaken. Hij was niet eens in staat de blik te weerstaan van de jongen die tot een paar minuten geleden zijn zoon was geweest.

'Zie je wel?' zei Roberto. 'Hij gelooft je niet meer.'

David draaide zich naar hem toe.

'Houd je bek toch 's, rotzak!'

Hij smeet het harpoengeweer op de bank en ging achter Roberto staan, wiens handen nog op zijn rug zaten vastgebonden. Hij sloeg een arm om zijn keel. Roberto probeerde zich te verzetten, maar David schopte hem in zijn knieholten. Roberto zakte op de grond en David trok hem naar achteren. Met vastgebonden armen kon hij weinig weerstand bieden.

David sleepte hem naar het raam en duwde hem met zijn buik op de vensterbank, zodat hij half binnen en half buiten hing.

Het duurde even voor Leonardo begreep wat hij van plan was. Toen hij het doorhad, wierp hij zich ertussen. Hij pakte Davids hemd vast.

'Laat hem los, papa!'

Maar David negeerde hem en toen hij bleef aanhouden, duwde hij hem ruw weg. Hij viel met zijn hoofd tegen de tafel en verloor heel even zijn bewustzijn.

Hij kwam bij en nog versuft door de klap, zag hij Roberto naar achteren schoppen. David kon die blindelings uitgedeelde trappen makkelijk ontwijken.

'De politie zal je daarbeneden vinden. We hebben je hierbinnen verrast en toen probeerde je door het raam te vluchten, maar helaas… Een tragisch ongeluk,' zei hij en hij greep hem vast. Hij hees zijn tegenstander nog twintig centimeter verder omhoog: nu hing Roberto gevaarlijk ver naar buiten, met zijn hoofd boven de afgrond. Nog een klein duwtje en hij zou op de rotsen te pletter slaan.

'Verdwijn uit mijn leven,' siste David in zijn oor. Hij deed een stap achteruit, pakte hem bij zijn enkels en als een kruiwagen duwde hij hem naar buiten.

Roberto verloor zijn evenwicht en viel naar voren, de honderd meter diepe, donkere afgrond in.

Leonardo onderdrukte een schreeuw en rende naar het raam. Hij glipte onder zijn vaders arm door en keek omlaag.

Roberto bungelde boven de afgrond.

Het touw om zijn polsen was achter de handgreep van het openstaande luik blijven haken. Nu hing hij daar als een kalf bij de slager. Na de eerste opluchting, realiseerde Leonardo zich het gevaar van de situatie. Er hoefde maar weinig te gebeuren en hij zou naar beneden storten. Ook al was het luik stevig – van massief hout – door Roberto's lichaamsgewicht was het schuin gaan hangen en het bovenste scharnier was al kapot. Alleen het onderste scharnier, een klein metalen dingetje van niet meer dan drie centimeter, scheidde Roberto van de dood.

'Je wilt maar niet verdwijnen, hè klootzak?'

Leonardo schrok van Davids gezicht, dat was vertrokken van woede. Hij was zich helemaal niet van zijn aanwezigheid bewust, zijn enige zorg was de indringer uit de weg te ruimen.

'Maak je niet druk. In een paar seconden maak ik het af.'

David ging over de vensterbank heen hangen om hem te pakken. Leonardo probeerde het te voorkomen, maar werd met gemak opzij geduwd. Roberto hing echter buiten Davids bereik. Zijn armen waren niet lang genoeg en Roberto hing vrij laag. Het touw om zijn polsen was lang genoeg om hem op afstand te houden.

'Blijf waar je bent,' zei David sarcastisch, toen hij zag dat zijn pogingen niets uithaalden. 'Ik ben zo terug.'

Leonardo was doodsbenauwd. Wat was papa van plan? Terwijl David naar de keuken verdween, wierp hij een blik uit het raam. Roberto probeerde verwoed met zijn voeten bij de vensterbank te komen, maar de afstand was te groot. Hevige wind en harde regen sloegen tegen de zijkant van het huis.

Een paar tellen later was David terug. Hij had een mes in zijn hand en ging uit het raam hangen.

'Nu ga je een mooie duik maken,' zei hij en hij stak met het lemmet naar het touw, dat Roberto's gewicht droeg. Hij ging met bijna zijn hele lichaam naar buiten hangen, wrong de punt van het mes achter de eerste streng van het touw en gaf een ruk. De streng knapte. Er bleven er nog maar twee over.

'Wacht even,' zei hij en hij maakte aanstalten om de volgende door te snijden.

Hij was te laat.

Vlakbij weerklonk een verblindende explosie. Ze waren alle

drie verdoofd. In huis vielen de lichten uit en het was ineens pikkedonker.

Langzaam wenden hun ogen aan het duister en tussen de kleurloze vlekken door die op zijn netvlies dansten, zag Leonardo wat er was gebeurd: in de boomgaard was de bliksem ingeslagen en een olijfboom was doormidden gespleten. De ene helft van de stam was in de as gelegd, en de andere stond flink in de fik, de vlammen sloegen eruit. Door de regen was alles drijfnat, maar het harde, droge hout binnen in de boom brandde gemakkelijk.

Een windvlaag woei een paar vonken over naar de villa, die tegen de rieten omheining van het keukenbalkon aan kwamen.

Gefascineerd bleef Leonardo naar het verschrikkelijke schouwspel kijken. Naast hem zag hij papa aarzelen, hij hoefde nog maar twee strengen touw door te snijden en Roberto zou naar beneden storten. Maar de vlammen in de omheining dreigden over te slaan naar de keukenluiken en dus naar het huis. Hij had geen tijd te verliezen.

David liet het mes op de grond vallen en liep bij het raam vandaan. Leonardo wist waar hij naartoe ging: naar de keuken, om het brandblusapparaat te pakken.

'Hou hem in de gaten,' beval hij. Hij liep naar de keuken, pakte het grote rode apparaat van vijftien liter en ging ermee naar buiten. Vanuit het raam volgde Leonardo zijn bewegingen. Een straal van een paar seconden was voldoende om de brand op het balkon te blussen en toen holde papa naar de olijfboomgaard. De wind kwam van zee en na een paar stappen moest hij zijn koers wijzigen om niet door steekvlammen te worden belaagd. Hij moest een lange omweg maken om bovenwinds naast de brandende boom te komen.

David richtte het apparaat op de vlammen en trok aan de hendel. Maar het schuim werd onmiddellijk door de wind weggeblazen. Hij moest er nog dichter naartoe, anders had het blussen geen zin. Op een meter afstand van de boom bleef hij staan, verder kon hij niet komen. De hitte van het vuur was te groot.

Opnieuw opende hij het ventiel en richtte de straal op de onderkant van de boomstam. Maar de wind werkte als een blaasbalg en steeds als de vlammen bedwongen leken, kwamen ze weer tot leven. Inmiddels was het schuim op, zonder dat het vuur volledig was gedoofd.

David gooide de nutteloos geworden brandblusser op de grond. Vanuit het raam zag Leonardo dat hij naar de garage holde. Een minuut later kwam hij weer tevoorschijn. Hij had een schop bij zich. Hij schepte aarde op het vuur, van de onderkant van de boomstam naar boven. De aarde was nat en de aanraking met het vuur veroorzaakte een sissend geluid. Uiteindelijk bleef er alleen een dunne rookpluim over. Een paar minuten razend hard werken, en de brand was geblust.

David gunde zichzelf een paar seconden rust. Zwaar hijgend leunde hij op de steel van de schop, die hij in de grond had gestoken, terwijl de regen zijn kleren doorweekte. Van de dikke rook die hij had ingeademd moest hij lang hoesten. Toen richtte hij zich grommend op en smeet de schop weg met een beweging waarin al zijn woede zich ontlaadde. Wankelend liep hij terug naar de villa. Nu het vuur was gedoofd, heerste er weer absolute duisternis. In de deuropening van de keuken bleef hij even aarzelend staan. Op de tast liep hij door de keuken naar de woonkamer, waar een zwak schijnsel vandaan kwam.

Met de rug van zijn hand veegde hij zijn natte haar uit zijn ogen en keek de kamer in.

Wat hij zag in het licht van de zaklamp op tafel bracht hem van zijn stuk.

Roberto hing niet langer uit het raam, twee strengen van de dood verwijderd. Hij lag op de grond: hijgend, doorweekt, uitgeteld, zijn polsen vastgebonden en zijn ogen gesloten, maar in veiligheid. Naast hem zat Leonardo, de oliejas lag op de grond.

'Hoe…?'

Leonardo gaf geen antwoord. Naast hem lag de pikhaak.

'Kom, papa,' zei hij.

David kwam dichterbij.

'Kom maar hier.'

'Leonardo, begin nu niet weer. Je gelooft hem toch niet…'

'Ben je soms ergens bang voor, papa?'

David opende zijn mond, maar deed hem toen zonder iets te zeggen weer dicht.

'Kom, papa. Laten we horen wat hij te vertellen heeft.'

3 UUR

Roberto vertelt…

Ze hebben elkaar ontmoet in een café bij de Navigli in Milaan. In zo'n tent waar rond middernacht de tafeltjes opzij worden geschoven om ruimte te maken voor livemuziek. Roberto speelt samen met een paar schoolvrienden in een bandje, 'De dode hand', meer voor de gezelligheid dan voor de muziek. Het was oorspronkelijk bedoeld als een vlotte manier om meisjes te versieren, en van de vier bandleden is hij de enige – ook al zegt hij dat niet tegen de anderen – die het echt om de muziek is te doen. Ze spelen een soort popachtige reggae, oppervlakkige muziek die iedereen leuk vindt, en voor het publiek sluiten ze de avond altijd af met een paar covers, van Peter Tosh tot en met Jefferson Airplane. Het is een leuke manier om wat bij te verdienen voor de grillen van het studentenleven, zoals sigaretten, platen en vooral hasj.

Op een avond eind december lijkt het publiek eerder in het café te blijven hangen omdat het buiten zo koud is dan vanwege de muziek. Rond halftwee gaat de deur open en komt David binnen. Vanaf het podium herkent Roberto hem meteen en toch kan hij zijn ogen nauwelijks geloven. Die middag had de kroegbaas verteld over een kennis die in een opnamestudio werkte waar hij, David Loreani, misschien zou langskomen. Wellicht kon die overgehaald worden om 's avonds te komen luisteren in het café. Roberto had hem bedankt, maar geen seconde gedacht dat het ook zou gebeuren. Hij kent het wereldje intussen goed genoeg om te weten dat er bij de vrienden van vrienden van vrienden van artiesten vroeg of laat altijd iets tussen komt en dat de echte sterren zich eigenlijk nooit laten zien. En zelfs als je – en dat is maar zelden – toch ergens mag voorspelen, is dat een nepkans. De beroemde zanger, componist, muzikant of platenbaas luistert tien minuten naar je, geeft je dan een klap op je schouder en veel complimenten, waarna hij je afwimpelt met de standaardzin: 'Kom eens langs, als je in de buurt bent.' Waar moet je dan langskomen? En wanneer? Niemand laat ooit een visitekaartje achter, en als dat wel gebeurt, staat daar het telefoonnummer op van een chagrijnige roadmanager, die nergens iets van afweet en misschien hoogstens een boodschap zal doorgeven.

Daarom probeert Roberto zijn opwinding te beheersen als hij David die avond binnen ziet komen. Hij doet wel erg zijn best en verandert de hele setvolgorde – onder de verbaasde blikken van zijn vrienden – om de beste nummers van hun repertoire te kunnen laten horen. Afwisselend op de trompet en de piano – de rest speelt hoogstens een paar akkoorden op een gitaar of ramt als een waanzinnige op een drumstel – improviseert hij erop los. Je weet tenslotte maar nooit. Tijdens het spelen houdt Roberto zijn blik gericht op David, die een bruine leren jas aanheeft en een grote, donkere zonnebril op. Hij ziet hem rondlopen, met een paar meisjes kletsen die om hem heen draaien, zijn fans te woord staan die om een handtekening vragen, handen schudden, iets fluisteren tegen het groepje om hem heen en een glas bier drinken. Hij doet dus van alles, behalve naar de muziek luisteren. Hij is een kleine, gedrongen en lelijke man, maar staat toch in het middelpunt van de belangstelling, veel meer dan zij op het podium.

Als de kroegbaas hem tegen drieën aan de ster voorstelt, denkt een teleurgestelde en ontmoedigde Roberto al te weten wat hij te horen zal krijgen: 'Je hebt talent. Kom eens langs.'

Als David hem de hand schudt, zegt hij echter: 'Jullie zijn vreselijk slecht.' Roberto huivert even: David Loreani, hij geeft David Loreani een hand. Hij is een muzikale legende in Italië – misschien wel internationaal – die vanaf de jaren zeventig de volksmuziek weer nieuw leven heeft ingeblazen. Hij is begonnen met een paar hele bijzondere opnames, zowel qua muziek als qua tekst: geïnspireerd op de traditionele muziek uit zijn geboorteplaats, een klein dorp in oostelijk Ligurië. Later heeft hij de scherpe kantjes eraf gehaald en langzaam het grote publiek veroverd. Nu houdt iedereen van de muziek van David Loreani, van huisvrouwen tot echte kenners, van dichters tot discotheekbezoekers. Tien jaar geleden kwam zijn laatste plaat uit: er wordt gefluisterd dat hij sindsdien werkt aan de ultieme cd.

'Jullie zijn echt vreselijk slecht.' Hij zegt het nog maar eens, zodat er geen twijfel over kan bestaan. Roberto trekt het zich niet aan: hij heeft gelijk, ze zijn inderdaad heel slecht.

'Laat die sukkels toch zitten. Jij hebt talent. Je zou het ver kunnen schoppen.'

Wat? Zei hij dat echt? Voor Roberto zich kan herstellen, is David alweer verdwenen, meegetrokken door het groepje dat als een Romeinse patrouille om hem heen hangt. Pas een paar seconden later merkt hij dat iemand hem een bierviltje in zijn hand heeft gedrukt, met een telefoonnummer erop.

Na twee dagen van innerlijke strijd belt hij op en in plaats van een haastige manager neemt David zelf de telefoon aan.

'Ik dacht dat je het vergeten was,' zegt hij. 'Heb je zin om voor me te komen spelen?'

Hij nodigt hem uit bij zich thuis, een schitterende, oude villa in de heuvels van Varese met een enorme, wild begroeide tuin eromheen. Vanuit de tuin is er een prachtig uitzicht op de talloze meren die over het land tot aan de bergen verspreid liggen. In het souterrain is een opnamestudio met de modernste apparatuur die Roberto ooit heeft gezien.

David zet een synthesizer aan, gaat met een glas vruchtensap in de hand op een kruk zitten en knikt hem toe: 'Laat maar eens wat horen.'

Dus speelt Roberto een paar uur lang, onder de oplettende blik van zijn idool.

'De teksten zijn slecht,' zegt David ten slotte, 'maar de muziek is goed. Als je wilt, spelen we samen.'

Roberto denkt dat hij hier te maken heeft met het gulle aanbod van een genie. Later pas ontdekt hij waarom David Loreani al tien jaar geen plaat meer heeft gemaakt: hij werkt niet aan een nieuw meesterwerk, hij heeft gewoon geen ideeën meer. Een writer's block, zouden journalisten het noemen. Ik heb gewoon geen ene moer meer te zeggen, zo omschrijft hij het zelf. David legt uit dat succes zichzelf om zeep helpt. Als je de top nog niet bereikt hebt, duwt je ambitie je vooruit, heb je geen last van honger, dorst, slaap, uitputting, teleurstelling of vernedering, maar ga je door, steeds maar weer door.

Als je dan eenmaal aan de top staat, dan wordt het pas echt moeilijk. Je droom is uitgekomen en voorbij. Niets kan je meer schelen. Niets ben je meer bereid je te ontzeggen. Misschien speel, schrijf of componeer je nog wel, maar dat doe je om de tijd door te komen of om aan jezelf te laten zien dat je nog dezelfde bent als vroeger. Maar dat ben je niet meer, en daar is niets aan te doen. Zodra je eenmaal succes hebt, verlang je er niet meer naar.

Alleen daarom, zegt hij, had David Loreani al tien jaar niets nieuws meer gemaakt. Ideeën, opzetjes, ingevingen en bedenksels waren er natuurlijk wel geweest. En allemaal weer weggegooid. Hij had nog wel inspiratie, maar geen verbetenheid meer. Tot aan die avond dat hij Roberto in het café had horen spelen. In hem had David het verlangen herkend dat hij zelf twintig jaar geleden had gehad. Het verlangen te scheppen, te verbazen en te ontroeren. De bron van eeuwige jeugd waar hij zich aan kon laven.

Een nieuw, jong, ruw en onbewerkt talent. Het moet verfijnd worden, maar dat schrikt hem niet af. Arrangeren is altijd zijn sterke kant geweest. Hij moet hem verfijnen, bijschaven, oppoetsen, polijsten en slijpen. Geen enkel probleem. Het ruwe materiaal is uitstekend.

Door Roberto krijgt David weer plezier in muziek. Hij heeft voldoende ervaring om een goed idee van een slecht idee te onderscheiden, om te weten wat hij moet bewaren en wat niet. Vaak zegt hij tegen Roberto dat die anders moet gaan leven. Hij zorgt namelijk slecht voor zichzelf, kleedt zich als een sloeber, blijft regelmatig de hele dag stoned of dronken in bed liggen, kan niets onthouden, leeft bij de dag, zit soms uren voor de televisie te kijken naar een documentaire over leeuwen of met een koptelefoon op te luisteren naar Bach. Hij ziet zijn oude vrienden nog steeds, ondanks Davids herhaaldelijke verzoeken het contact te verbreken. Met hen brengt hij weken door in een gammele Volkswagenbus, waarmee ze door Europa toeren om te drinken, hasj te roken en achter de meisjes aan te zitten. In Hongarije zijn ze zelfs een keer stomdronken van de weg geraakt. Wat een tijdverspilling. Vooral met vrouwen. Volgens David gaan seksuele escapades en creativiteit niet samen. Hijzelf is al twintig jaar getrouwd en heeft daar nooit spijt van gehad. Benedetta is lief, niet al te intelligent, goed opgevoed, leuk om te zien, meegaand en zonder een greintje talent. Kortom: perfect. Ze hebben ook geprobeerd kinderen te krijgen, maar helaas tevergeefs.

De samenwerking verloopt prima. Geen enkele musicus zal ooit in zijn eentje beschikken over zowel enthousiasme als ervaring. David is echter nooit tevreden met de nummers die ze maken. Er zijn tien jaar voorbijgegaan, legt hij uit, tien jaar vol verwachtingen en geruchten. Al tien jaar wachten ze op hem en nu moet hij laten zien wat hij waard is. Vreselijk. Als hij had geweten hoe erg het was, zou hij nooit zo lang hebben gewacht. Maar nu ziet hij er als een berg tegen op. Tien jaar… een verstikkend gevoel. De journalisten en fans denken dat zijn verdwijning van het toneel een slimme mediastrategie is. Wat hebben zij het mis! Het is gewoon een vlucht. Hij verbergt zich uit angst.

Ze hebben nog niet helemaal de juiste weg gevonden, maar David weet dat hij, als hij ooit een nieuwe cd zal uitbrengen, dat uitsluitend aan zijn nieuwe leerling te danken heeft.

Maanden gaan voorbij met repetities, mislukte pogingen en nieuwe ideeën. Ondertussen heeft Roberto zijn draai een beetje gevonden. Hij gaat niet meer met zijn oude vrienden om en wordt verliefd op Sharon, een eigenaardig meisje uit Australië, op de een of andere manier in Italië terechtgekomen en zo'n dertig jaar te laat voor de flowerpower. Ze is actrice geweest en heeft in Hollywood in een paar B-films gespeeld, maar haar carrière is geruïneerd toen haar gezicht bij een auto-ongeluk aan één kant verminkt raakte. 'Voor een rol waarin je alleen en profil moet verschijnen, zou ik perfect zijn. Misschien in een film over het oude Egypte of zo.' Hollywood is voorbij: gelukkig maar, zegt ze zelf, anders zou ze daar in Ame-rika zijn opgebrand. Nu is ze tenminste gedwongen geweest haar studie weer op te pakken: oude religieuze teksten, van de Upanishad tot het Oude Testament. Zij is in staat bij Roberto de ontevreden onrust weg te nemen die hem altijd heeft gekenmerkt. Naast Sharon voelt hij zich een nieuwe man, sterker en zekerder van zichzelf. Zolang zij bij hem blijft, kan het met hem niet misgaan. Al na een paar maanden voelt Roberto dat hij haar niet kwijt wil. Met Sharon zal hij nooit meer in de chaotische afgrond van zijn verleden glijden.

Sharon houdt van hem. En hij van haar. David zegent de verbintenis. Dan onderbreekt Roberto op een dag plotseling de repetitie – midden in een prachtige, volledig geïmproviseerde trompetsolo – en zegt:

'Waarom maken we geen conceptalbum?'

David geeft geen antwoord. Een conceptalbum…

'Wat denk je ervan?'

Roberto dringt aan. Om een echte comeback te maken moeten ze iets groots doen. Iets spectaculairs. Een paar mooie liedjes zijn niet voldoende. David zegt dat hij de afkeurende reactie van de critici al voor zich ziet… 'David Loreani is terug. Met prachtige muziek, ongetwijfeld, maar…' En het is die máár die het voor hem verpest.

'Daarom juist,' dringt Roberto aan. 'Misschien vinden ze niet alles mooi, maar ze zullen de moeite kunnen waarderen. Je moet ze iets nieuws geven, David. Weet je wat ze zeggen over culinaire critici? Dat die zo gewend zijn aan de meest verbluffende gerechten, dat ze een simpel bord pasta niet meer op prijs kunnen stellen. Hetzelfde geldt voor muziekcritici. Je moet ze verbijsteren, David. Ze zullen versteld staan.'

'Tja… het lijkt me nogal ingewikkeld,' probeert David zijn enthousiasme te temperen.

Roberto legt zijn trompet weg en pakt David bij zijn arm.

'Denk erover na, David. Je comeback zal een triomf zijn.'

Plotseling is David overtuigd. 'Als dit me lukt, stop ik er voor altijd mee. Ik zweer het. Ik zal tijdens het vuurwerk verdwijnen en sterven in onvergankelijke roem.' Hij glimlacht naar hem. 'Oké, we proberen het. Maar we hebben een idee nodig.'

Aarzelend kijkt Roberto hem aan.

'Wat is er? Zeg het maar,' spoort David hem aan.

'Ik…'

Roberto zwijgt en David snapt het. Niet alleen is zijn jonge partner met dit interessante voorstel gekomen, hij heeft ook al over het volgende probleem nagedacht en daar een oplossing voor gevonden. Met een kant-en-klaar idee is hij naar hem toe gekomen. Wat is dat voor een blik die vluchtig over Davids gezicht trekt, als de schaduw van een overvliegende vogel? Nu snapt Roberto het nog niet, veel later pas zal hij het begrijpen. Het is jaloezie.

'Wat heb je bedacht?'

'Peter Pan. Een verhaal rond de figuur van Peter Pan.'

'Hmm... Zo nieuw lijkt me dat niet.'

'Dat klopt, Edouardo Bennato heeft het ook al gedaan en er is geloof ik een Broadway-musical. Maar wij gaan het anders doen.'

'Leg 's uit.'

'Nu wordt er steeds op een negatieve manier naar Peter Pan verwezen: hij is een kind dat niet wil opgroeien, altijd klein wil blijven en geen volwassen verantwoordelijkheid wil accepteren. Als een jonge man niet wil trouwen, of geen werk wil zoeken, wat zeggen ze dan? Dat hij het Peter Pansyndroom heeft, in de ongunstige betekenis.'

'En wat zeg jij dan?'

'Ik zie Peter Pan daarentegen als een revolutionair. Hij is Che Guevara. Of nog beter dan Che Guevara.'

'Fidel Castro?'

Roberto schudt zijn hoofd.

'Kijk, Peter Pan wilde zelf wel terugkeren naar de wereld van de volwassenen, maar toen hij thuiskwam was zijn raam gesloten! En door dat raam zag hij zijn moeder met een ander kind op schoot. Kan het erger?'

'Hmm... Ga door.'

'Weet je waarom de volwassenen dat raam dicht hebben gedaan? Omdat ze bang voor hem waren.'

'Meestal zijn kinderen bang.'

'Precies, je begint het te begrijpen. Wij gaan alle clichés overhoophalen. Peter Pan is een revolutionair, die de gerontocratische maatschappij omver wil werpen. Neem nou de Verloren

Jongens, die woonden samen in een soort gemeenschap of een kibboets. Peter Pan woont tussen feeën en zeemeerminnen, maar zonder die monomane obsessie van volwassenen voor seks. Hij weet niet eens wat seks is. Hij weet nog niet wat een kusje is. Herinner je je het begin van het verhaal? Wendy wil hem een kusje geven en hij denkt dat een vingerhoed een kusje is.'

'Kennelijk heeft hij geen goede seksuele voorlichting gehad.'

'En er is nog iets, David. Peter Pan vliegt. Eigenlijk is hij dus Superman. Weet je nog wat hij antwoordt als Kapitein Haak vraagt wie hij eigenlijk echt is? Hij zegt dan: ik ben een vogel die net uit het ei komt. Peter Pan is de nieuwe mens van een nieuwe soort. Hij is de übermensch van Nietzsche. Daarom zijn de volwassenen bang voor hem.'

Eerst is David sceptisch, maar langzamerhand begint het idee hem aan te spreken. Hij maakt een schets voor het hoesje van de cd: Peter Pan verkleed als Che Guevara, met een baret op zijn hoofd en een sigaar in zijn mond. Een stoere en koppige jongen, maar ook lief en charmant. Aan het hoofd van zijn leger Verloren Jongens verovert Peter Pan de aarde. Een soort Ziggy Stardust, eigenlijk.

'En wat doen we met Kapitein Haak?'

'Makkelijk, dat is een bondgenoot van Peter Pan.'

'Een bondgenoot? Maar…'

'Ook Kapitein Haak is een rebel. Mag ik je eraan herinneren dat hij op de beste Engelse scholen heeft gezeten, maar liever een carrière als piraat wilde? Als dat niet revolutionair is… Hij had directeur van een multinational kunnen worden, maar verkiest een leven als boef. Ook al zijn ze in het boek elkaars tegenstanders, Peter Pan en Kapitein Haak lijken duidelijk erg op elkaar en hebben wederzijds respect voor elkaar. Pas op, aardbewoners, jullie laatste uur heeft geslagen…'

David spreekt zijn twijfels uit. Wat zullen de critici zeggen?

Een antikapitalistische, anti-institutionele plaat, met een knip-oog naar de Non Aligned Movement en naar de derde wereld. Anderen zien er misschien iets neonazistisch of anarchistisch in. Er moet in ieder geval wereldmuziek in, Afrikaanse trommels, een sitar, een zweem van een militaire mars, van *Gott mit Uns*...

'Goed, ik zal erover nadenken,' geeft hij uiteindelijk toe.

Een week later gaan ze aan het werk. Het wordt een dubbel-cd, met veertien nummers erop. Aanvankelijk maken ze een opzetje aan de hand van het boek, maar dat gooien ze weer weg. Over één ding zijn ze het eens: in het laatste nummer marcheert (nee, vliegt) Peter Pan met zijn Verloren Jongens, roodhuiden, piraten en feeën als een horde barbaren over de aarde om die te veroveren. Doodsbang verstoppen de volwassenen zich in hun huizen met de deuren en ramen dicht, maar merken dan tot hun grote schrik dat hun eigen kinderen spontaan de kant van de vijand kiezen. Het moet een beetje grimmig en eng worden, zoals *Night of the Living Dead* of zo...

Er is heel veel werk te doen: de muziek, de teksten, de arrangementen, de musici en de opnamestudio's. Alles moet perfect zijn. En vooral geheim. De kranten mogen een tipje van de sluier oplichten, maar niet te veel onthullen. Ze moeten nieuwsgierigheid aanwakkeren. Of het nu een jaar kost, of twee, dat maakt niet uit. Ze zullen de tijd nemen die ze nodig hebben.

Ze sluiten zich op in het souterrain van de villa in Varese. Dan is er goed nieuws: Sharon is zwanger. Zij en Roberto verhuizen naar de villa en daar leven ze allemaal samen, als een soort grote muziekfamilie.

De hele herfst en winter werken ze door. Laat in de lente wordt het kind geboren en dan zijn ze al over de helft van het album. Sharon noemt het kind Mozes, in de hoop dat hij later zijn tafelen met wetten zal vinden.

In die periode merken ze voor het eerst een zekere labiliteit bij Sharon op. Het uit zich in kleine onoplettendheden: ze legt de huissleutels in de koelkast, gaat in haar pyjama naar buiten en koopt drie keer per dag brood. Dat soort dingen. Aarzelend stelt de dokter een postnatale depressie vast, maar Roberto vindt heroïne in haar tas. Daarmee is ze destijds over het ongeluk heen gekomen en nu is de drug als een verloren jeugdvriend weer in haar leven teruggekeerd.

De dokter zegt dat hij bij haar in de buurt moet blijven en haar veel aandacht moet geven. Maar Roberto werkt zestien uur per dag en heeft geen tijd voor haar en het kind. Sharons situatie verslechtert en ze doet steeds gekkere dingen. Toch blijft het werk op de eerste plaats komen. Op den duur zal alles wel weer goed komen door frisse lucht en rust.

Op Mozes' eerste verjaardag is het album bijna af. David blijft tegenover Roberto sceptisch, maar eigenlijk weet hij dat het geweldig is. Het zal voor opschudding zorgen. En voor succes. Ze moeten alleen het laatste nummer nog schrijven, over de triomftocht van de kinderen op de aarde. De grote finale. Het moet net zo krachtig zijn als 'We are the Champions' en net zo gevoelig als 'Rocket Man'. Makkelijker gezegd dan gedaan dus.

Op een mooie zomerdag ligt David in een stoel aan de rand van het zwembad. Hij geniet van een alcoholvrije cocktail en leest een boek dat Roberto hem heeft aangeraden. Het is een biografie van James Matthew Barrie, de schepper van Peter Pan. Roberto heeft zich helemaal verdiept in het onderwerp. En nu komt ook David erachter dat Barrie een getalenteerd schrijver was met een ongunstig uiterlijk: hij was klein, gedrongen en lelijk. Barrie was geobsedeerd door de herinnering aan zijn gestorven broer, maar zijn moeder nog meer dan hij. Om haar een plezier te doen, imiteerde Barrie hem: hij droeg zijn kleren en praatte net als hij. Hij werd zijn dubbelganger. Als volwassene, inmiddels getrouwd maar kinderloos, leerde Barrie in het park een vrouw en haar vijf kinderen kennen. Hij raakte erg aan ze gehecht, voor hen bedacht hij de sprookjes en verhalen die later *Peter Pan* zijn geworden. Na de dood van de moeder adopteerde Barrie de vijf broertjes, die toen zijn eigen kinderen werden…

Terwijl David ligt te lezen, speelt Roberto met de kleine Mozes in het water. Het is een van de zeldzame momenten dat hij aandacht aan hem besteedt. Mozes is echt een lief kind: altijd vrolijk en met twee prachtige kuiltjes in zijn wangen. Roberto gooit hem in de lucht en vangt hem weer op, heel vaak achter elkaar. Hij weet niet dat het kind vanuit de lucht zijn litteken ziet en daar altijd van zal blijven dromen. Die dromen zijn onlosmakelijk verbonden met deze momenten van geluk. Dan legt Roberto hem in het water en ondersteunt hem, al hoeft dat eigenlijk niet: het kind kan al zwemmen sinds het een baby was. Ze spelen, lachen en spetteren elkaar nat. Roberto kijkt op en ziet dat David de biografie van Barrie leest. Precies op dat moment laat David het boek zakken, legt het open op zijn borst en kijkt Roberto aan. Die krijgt een vreemd gevoel, een soort rilling, alsof er achter hem een koelkastdeur openstaat. Hij probeert het nare gevoel van zich af te schudden.

'Wat is er?' vraagt hij, geheel in het ongewisse.

David kijkt hem nog even aan met een vreemde uitdrukking op zijn gezicht. Dan glimlacht hij.

'Niets,' antwoordt hij.

Ondertussen gaat het met Sharon steeds slechter. Misschien komt het door het teruggetrokken leven, door het afstandelijke medelijden waarmee ze wordt behandeld of door de verveling. De kleine onoplettendheden worden ernstige nalatigheden. Op een keer treft David Mozes alleen in de badkuip aan. Een andere keer alleen in de keuken, met het gas aan. David probeert de voorvallen te relativeren, maar de dokter waarschuwt hen. Het komt voor dat een depressieve moeder haar eigen destructieve verlangen op haar kind afwendt. Met z'n drieën – David, Roberto en Benedetta – besluiten ze haar in de gaten te houden, zodat er zich geen gevaarlijke situaties meer voor zullen doen. Het lukt hun echter niet altijd te voorkomen dat ze heroïne gebruikt. Mozes heeft nu twee vaders en twee moeders.

Het album komt maar niet af. Alle voorstellen van Roberto worden door David resoluut afgewezen: het ligt of te makkelijk in het gehoor of te moeilijk, het lijkt op McCartney of op Michael Jackson, op Bono of op Rossini, er zit te veel ritme in of te weinig en is te veel mineur of te veel majeur. Roberto maakt aantekeningen, schetst, schrijft, knikt en soms zingt hij. David wijst alles af. Voor hun *Peter Pan* is een gedenkwaardig einde nodig, zoals de *Vijfde Symfonie* van Beethoven of in ieder geval 'Don't Cry For Me Argentina'.

Ze besluiten samen een cruise te gaan maken met het zestien meter lange zeiljacht – een Grand Soleil – dat David het hele jaar in Talamone voor anker heeft liggen en dat wordt bemand door een vaste schipper, een grote vent met blond stekeltjeshaar. De warmte, de zon, de rust en misschien zelfs de verveling moeten ervoor zorgen dat ze de goede melodie bedenken, die maar niet wil komen. Op vijftien september vertrekken ze samen met de schipper naar Marokko. Daarna zullen ze wel zien.

Het leven aan boord is monotoon: opstaan, ontbijten, zonnebaden, lunchen, zonnebaden, avondeten en naar bed gaan. Over muziek wordt niet gesproken. Ze zitten gevangen in een slaapverwekkend nirwana. Sharon lijkt zich beter te voelen. Of misschien zijn de anderen aangestoken door haar catatonie.

Op een nacht schrikt Roberto wakker. Er klinkt opgewonden hulpgeroep. Hij haast zich naar het dek, waar de schipper hem beetpakt, door elkaar schudt en zo vlug tegen hem praat dat hij er niets van begrijpt. In een hoekje van de stuurhut zit Sharon, verdwaasd en verloren in haar eigen nirwana. Ze lijkt zich nergens van bewust te zijn.

'Wat?'

'Mozes is in het water gevallen,' zegt de man en hij wijst naar de zee. Ineens is Roberto klaarwakker.

'Hoe dan…?'

De schipper vertelt dat hij wakker was geworden met buikpijn. Hij was naar boven gegaan voor wat frisse lucht en daar had hij haar gezien. Sharon. Ze liep op het dek, gewikkeld in een van haar oosterse, bontgekleurde en met gouddraad doorweven sarongs. De kleine Mozes hield ze dicht tegen zich aan gedrukt en zachtjes zong ze een slaapliedje, ook al woei het flink en was er storm op komst. Misschien voelt het jongetje zich niet lekker, had de schipper gedacht. Voor hij er erg in had gehad, was het al gebeurd. Sharon was huilend op de reling afgelopen, zingend en huilend tegelijk. Toen had ze, met de grootst mogelijke tederheid, het kind buitenboord gehouden.

En hem in het water laten vallen.

'Hoe…?' zegt Roberto alleen maar, overmand door verdriet.

Gelukkig was David meteen aan komen rennen – vertelt de zeeman – en in het water gesprongen om het jongetje te zoeken.

'Daar,' zegt de schipper en hij wijst een vage plek aan in het donker. Zijn ogen heeft hij de hele tijd strak op dat stuk zee gehouden: hij weet namelijk dat er in het water geen oriënteringspunten zijn. Als iemand overboord slaat, kan die alleen worden teruggevonden door de plek waar hij is ondergegaan niet uit het oog te verliezen.

Roberto houdt zich vast aan de reling en mompelt, vloekt en bidt tegelijk. Tergend langzaam gaan de seconden voorbij en het wateroppervlak blijft gesloten. Net op het moment dat hij zijn trui wil uittrekken en in het water wil springen, komt Davids hoofd boven de golven uit. Zijn gezicht is vertrokken van inspanning. Dan tilt hij iets uit het water.

Mozes.

De blik van de schipper klaart op. Hij werpt een touw in het water. Een minuut later zijn ze allebei weer aan boord. Maar

Mozes, in zijn kletsnatte pakje, ademt niet meer. Zachtjes, voorzichtig en ja, liefdevol, buigt David over hem heen en legt zijn lippen tegen de zijne. Hij blaast zachtjes. Een, twee, drie, vier keer. Dan laat hij los.

Eerst gebeurt er niets. Dan trekt er plotseling een kramp door het kleine lijfje. Er stroomt water uit het mondje en het knulletje hoest. Hij ademt. Hij is gered.

Ineengedoken achter op de boot kijkt Sharon zwijgend toe.

Roberto vertelt… (2)

Er komt geen einde aan die nacht. Dicht op elkaar gepakt in de eethoek – er is wel meer ruimte op de grote boot, maar zo lijkt het makkelijker het drama onder ogen te zien dat ze zojuist hebben beleefd – heen en weer gesmeten door de storm buiten, waar de donder en bliksem door de hemel knallen, zitten vijf mensen elkaar sprakeloos aan te kijken. Ze drinken koffie of thee en roken sigaretten, maar kunnen niet de moed opbrengen iets te zeggen. Mozes ligt in twee dekens gewikkeld in de grote hut in de voorsteven. Hij slaapt en ademt rustig, wie weet waar hij van droomt. David vertelt dat hij hem op een meter, of anderhalve, onder het wateroppervlak heeft gevonden. Gelukkig kan het jongetje zwemmen en heeft hij zich lang drijvende kunnen houden. Een ander kind zou misschien…

Alle vier kijken ze naar Sharon, die verward terugstaart. 'Wat is er?' vraagt ze met een dikke stem. Niemand geeft antwoord. Roberto staat op, streelt haar hoofd en kijkt haar in de ogen als hij vraagt: 'Waarom?'

Ze schudt haar hoofd. Ze weet van niets. Ze lag in de hut te slapen en kan zich niets herinneren. Opeens stond ze aan dek, maar ze weet niet hoe ze daar terecht is gekomen.

Roberto gaat naar de hut waar Mozes ligt te slapen. David komt ook en doet de deur achter zich dicht.

Samen staan ze naar het kind te kijken. Een slapend kind is altijd een mooi gezicht.

Roberto draait zich om naar zijn vriend.

'Dankjewel, David. Ik zal nooit vergeten wat je hebt gedaan.'

Hij slaat zijn armen om hem heen en barst in huilen uit.

'Vraag wat je wilt. Ik geef je alles.'

Op dat moment wordt de rest van hun leven bepaald. Vraag wat je wilt. Het lijkt een cliché. Vraag wat je wilt.

Maar dit keer niet. Dit keer is het niet zomaar een cliché.

'Ik wil Mozes,' zegt David.

Roberto begrijpt het niet. Met de rug van zijn hand veegt hij zijn tranen weg en kijkt vragend naar zijn vriend op.

'Hoezo Mozes?'

'Je zei dat ik mocht vragen wat ik wilde. Ik wil Mozes.'

Roberto doet een stap achteruit. Voor de eerste keer ziet hij zijn vriend

zijn vriend?

zoals hij hem nog nooit eerder heeft gezien. Hij ziet dat zijn mondhoeken naar beneden staan en zijn ogen een wrede vorm hebben.

'Hoe bedoel je Mozes...?'

David knikt. Ja, Mozes. Het kind dat hij een uur geleden heeft gered, uit zee heeft gevist. Dat zal zijn beloning zijn. Mozes.

Roberto deinst nog verder achteruit. Je bent gek. Je bent dronken. Je voelt je niet lekker. Misschien ben je te lang onder water geweest of komt het door de kou of de schrik. Weet je wat, ik doe net alsof ik het niet goed heb gehoord.

'Nee, hoor,' zegt David hoofdschuddend. 'Je hebt het wel goed gehoord. Ik wil Mozes.'

Sharon is labiel en een gevaar voor zichzelf en voor anderen, met name voor haar kind. Dit keer is het goed afgelopen, dankzij hem. Maar de volgende keer? Wat ga je eraan doen, Roberto? Haar vierentwintig uur per dag in de gaten houden? Met zo'n moeder zal Mozes toch nooit veilig zijn. Nooit.

'Snap je het dan niet, Roberto? Je moet kiezen. Of zij of Mozes.'

Versuft kijkt Roberto hem aan. Hij weet niet wat hij moet zeggen. David drijft hem in het nauw.

'En als de politie erachter komt wat er vannacht is gebeurd? Wat doen ze dan volgens jou? Laten ze jullie met rust? Nee, ik zal je vertellen wat ze doen: ze halen Mozes weg. Sharon is een onbetrouwbare en gevaarlijke moeder. Dit heet geloof ik poging tot kindermoord. Ze halen het kind zeker bij haar weg. En wat denk je dat ze tegen jou zeggen, Roberto? Heb je daar al over nagedacht? Een jaar lang heb je je kind overgelaten aan een drugsverslaafde moeder. Je kunt niet ontkennen dat je het wist. Je hebt het zelf zo ver laten komen, door je alleen maar met muziek bezig te houden, en met niets anders. Mozes was een last voor je en je liet Sharon voor hem zorgen. Nou, Roberto, vind jij jezelf een goede vader?'

Die woorden steken als een mes in Roberto's hart. Ben ik een goede vader? Die vraag had hij zich nooit eerder gesteld. En erger is nog, dat hij het antwoord niet weet.

Soepel als de slang van verleiding komt David dichterbij. Als hij voor Mozes zou zorgen, zou alles anders zijn. Goed, hij is wel ouder dan Roberto, maar ook wijzer en bedachtzamer. Hij rookt geen hasj, zwerft niet door Europa in een gammele bus en heeft een rustig, stabiel leven. En dan is er nog Benedetta. Zij is de ideale moeder: evenwichtig, hartelijk, begripvol en lief. En betrouwbaar. Heel anders dan Sharon. Zie je wel? Als je de situatie rationeel bekijkt, is er eigenlijk maar één goede oplossing: geef Mozes aan mij. Omwille van jou, van ons, maar vooral van hem.

'Je bent gek,' zegt Roberto weer, zonder al te veel overtuiging.

Davids gezichtsuitdrukking wordt harder.

'Denk erover na, maar veel tijd heb je niet. Als we in Casablanca aanleggen moeten we iets tegen de politie zeggen.'

'Waarom? Niemand weet wat er gebeurd is, behalve wij. Niemand zal ooit iets…'

David schudt langzaam zijn hoofd, terwijl Roberto nog aan het woord is.

'Nee. Stel dat er morgen iets met Mozes gebeurt, hoe denk je dat ik me dan zou voelen?'

'Maar ik beloof dat…'

'Ik weet het. Dat je op Sharon zult letten. En op het kind. Ik weet het. Beloftes. Vraag je eens af waarom je dat niet eerder hebt gedaan. Dit is namelijk niet de eerste keer dat er iets gebeurt. Er komt een dag waarop je afwezig bent, dronken, stoned of ergens aan het optreden. Nee, Roberto, ik voel er niets voor. Ik houd van Mozes alsof het mijn eigen zoon is. Ik wil niet dat hem iets overkomt. Die verantwoordelijkheid wil ik niet.'

Onderzoekend kijkt Roberto David aan en hij probeert zijn werkelijke motieven te achterhalen.

'Waarom doe je dit?'

'Benedetta en ik kunnen geen kinderen krijgen, dat weet je. Ik heb altijd heel graag een kind gewild, eentje precies zoals Mozes. Mooi, lief, vrolijk, intelligent. Ik ben dol op hem. Hij is eigenlijk al een beetje van mij, want zonder mij had jij nooit een zoon gekregen, Roberto. Dan zou je nu nog steeds ergens zitten te pingelen in een rokerig café, dronken en met aan iedere arm een vrouw. Tel daarbij op wat er vannacht is gebeurd…'

Roberto denkt na.

'Hoe zie je dit voor je?'

Zo, de eerste stap is gezet. Overgaan op de details betekent dat de beslissing al is genomen. Het pad is ingeslagen. Er is geen weg terug. David laat het gunstige moment niet voorbijgaan. Hij praat vlug en laat geen ruimte open voor tegenwerpingen.

'In Casablanca geven we de verdwijning van Mozes aan. We zeggen dat we niet weten hoe het is gebeurd: misschien is hij tijdens de storm naar boven geklommen, deinde de boot heen en weer en is hij van het dek gegleden zonder dat iemand het heeft gemerkt. Ze zullen vragen stellen en misschien moeten we een paar uur op het politiebureau zitten. Ik denk echter niet dat ze zich erg druk maken over een buitenlands kind. Misschien komt er in Italië ook wel iemand vragen stellen. Maar we moeten gewoon alle vijf hetzelfde verhaal vertellen. Dan kunnen ze ons niets maken.'

'Alle vijf? De schipper ook? En Sharon?'

'Maak je over de schipper geen zorgen. Hij werkt al zijn hele leven voor me en zal doen wat ik zeg. Een flinke fooi zal hem zijn mond wel laten houden. En Sharon… Sharon zal dat spul blijven nemen en herhalen wat ze vannacht heeft verteld: dat ze in de hut was, niets heeft gezien en niets heeft gedaan…'

Roberto aarzelt, maar wat net nog een absurde hypothese had geleken, lijkt nu niet meer zo absurd.

'En dan?'

'We moeten Mozes natuurlijk eerder van boord laten halen. Ik kan wel iets regelen via de radio. We laten hem door iemand ophalen…'

'Nee! Ik laat Mozes niet bij een vreemde achter.'

David kijkt hem aan en maakt met zijn blik duidelijk wat hij denkt, maar niet hardop zegt: misschien is hij bij een vreemde wel veiliger dan bij zijn eigen moeder.

'Maak je geen zorgen, het is maar voor een paar uur. Als we bij de politie zijn geweest, haal ik hem weer op. Jij en Sharon vliegen terug naar Italië en ik vaar met Mozes weg.'

'Waar gaan jullie heen?'

'Dat weet ik nog niet. Bangkok, Hongkong, India, Thailand, we zien wel. Ik ken een goede advocaat die in internationale adoptiezaken is gespecialiseerd. Ik zal uitzoeken waar ze niet te veel vragen stellen en gevoelig zijn voor gulle schenkingen. Het zou niet al te moeilijk moeten zijn om een adoptie op maat te regelen. Snap je? Mozes verdwijnt hier in de Middellandse Zee, en komt duizenden kilometers verderop weer tevoorschijn. Als mijn zoon natuurlijk.'

Roberto kijkt David verbijsterd aan. Jezus, die man is zo zeker van zichzelf. Hij vraagt zich af of het plan zou kunnen werken, en geeft zelf het antwoord: ja, het zou kunnen werken.

'En ik?'

David kijkt bedroefd.

'Jij moet verdwijnen, Roberto. En Sharon ook. Voor altijd. Mozes mag het nooit te weten komen.'

Roberto wil nog iets zeggen, maar durft niet. Dan doet hij het toch. Ach ja, zoals de zaken er nu voor staan.

'En...?'

'Het album, bedoel je?'

Roberto knikt. Hoe erg het ook is, hij moet er naar vragen.

'Jij moet eruit stappen, Roberto. Helemaal. Tussen ons mag geen enkele band meer bestaan, begrijp je dat? Niemand mag ooit iets vermoeden. Het album zal op mijn naam uitkomen. Maar maak je geen zorgen: ik koop je rechten af. Zeg maar hoeveel lire je wilt hebben. Vijf miljard? Zes? Tien? Bepaal jij maar hoeveel.'

Roberto heeft het gevoel dat hij zijn eigen zoon verkoopt. Hij denkt dat het niet zo is, maar hij weet het toch niet helemaal zeker.

'Open maar ergens een bankrekening. Op Jersey of de Antillen, in Luxemburg, zie maar. Ik maak het geld naar je over en daarna verbreken we het contact. Voor altijd, snap je? Ik wil je niet meer zien of spreken. Je mag me nooit schrijven. Je moet helemaal verdwijnen.'

'Voor altijd...'

David slaat hem op de schouder. Zoals zovelen voor hem dat ook deden, als ze kwamen luisteren in de rumoerige cafés waar hij speelde. 'Laat eens wat van je horen,' zeiden ze, en ze verdwenen dan. Dit keer moest hij zelf verdwijnen.

'Het is niet voor mij, maar voor het kind. Hoe zou hij opgroeien, als hij zou weten wat er is gebeurd? En dat jij…'

Hij maakt zijn zin niet af, maar de betekenis ervan is duidelijk: wat zou hij moeten denken van een vader die hem eerst niet heeft kunnen beschermen en later heeft verkocht?

Zwijgend staan ze naast elkaar in de hut waar Mozes rustig ligt te slapen, zonder te weten dat hij van hand verwisselt als een oud tapijt in een bazaar.

'Geef je hem een andere naam?' vraagt Roberto bezorgd, alsof alles daarvan afhangt.

David glimlacht.

'Misschien.'

Dan verbetert hij zichzelf.

'Ik zal hem Leonardo noemen.'

Uit liefde voor Leonardo

'Het is dus waar.'

Leonardo keek naar David en wachtte tot die iets zou zeggen.

'Het is dus waar,' drong hij aan. Zijn hoofd voelde koortsig. Zijn leven lag aan diggelen. Zijn ademhaling ging sneller, zijn ogen brandden en zijn oren suisden.

David haalde diep adem, als een acteur die het podium op moet. Hij sloot zijn ogen.

'Nee.'

'Is het niet waar?'

'Niet helemaal. Het is waar dat we elkaar kennen en dat we samen aan het album hebben gewerkt. Dat wel. Daarna hebben we ruzie gekregen. Hij draaide helemaal door en dacht ineens dat het alleen zíjn album was. Hij leidde aan grootheidswaanzin. Hij eiste dat zijn naam boven die van mij zou komen te staan. En hij wilde vijftig procent van de auteursrechten. Vijftig procent! Ik moest wel van hem af zien te komen. Sindsdien haat hij mij. Daarom heeft hij dit hele verhaal verzonnen, om zich op mij te wreken. Het is allemaal heel simpel, Leonardo. Je bent mijn zoon. Hoe kun je geloven dat dat niet zo is?'

Davids droeve stem klonk hol in de woonkamer van het grote huis. Leonardo's blik was onpeilbaar.

'Je zegt dat je je het litteken kunt herinneren. Maar wat wil dat zeggen?' probeerde David nog. 'Je kunt het bij zoveel andere mensen gezien hebben. Jaren geleden hadden we een tuinman in dienst, met ook zo'n litteken. Misschien heb je het wel bij hem gezien en is dat je bijgebleven…'

Leonardo zweeg nog steeds en bleef in gedachten verzonken zitten. Roberto kreunde geërgerd, omdat hij in zo'n ongemakkelijke positie lag. Leonardo schoot hem te hulp. Hij rolde hem op zijn rug en ondersteunde hem zodat hij op de grond kon gaan zitten met zijn rug tegen een stoel.

'Dankjewel, Leonardo. Zo is het beter.'

Roberto draaide zich naar David toe.

'Eén ding heb ik nooit begrepen, in al die jaren niet. Waarom heb je zo lang gewacht met het uitbrengen van het album?'

David aarzelde, maar gaf toen toch antwoord.

'Toen jij weg was, had ik geen zin meer om te componeren. De cd kon me niet meer schelen. Ineens leek het me onzinnig. Maar op een dag…'

Op een dag had Leonardo – toen zeven jaar – een oude plaat gevonden in de kelder. Hij kon nog niet lezen, maar had hem herkend op de foto op de hoes.

'Heb jij die gemaakt, papa?' had hij gevraagd.

David had geknikt.

De hoes was helemaal vergeeld.

'En maak je er nu geen meer, papa?'

Met die vraag was alles weer begonnen. David had de oude ideeën over de triomftocht van de Verloren Jongens uit de kast gehaald, en binnen een maand had hij de grote finale van zijn album gecomponeerd. Precies zo krachtig, glorieus en weemoedig als hij het zich altijd had voorgesteld. Het laatste vuur van de feniks.

'Nu snap ik het,' zei Roberto.

'Daarom heb ik het afgemaakt. Uit liefde voor Leonardo.'

Roberto vertelt… (3)

Roberto vindt de overeenkomst moeilijk te accepteren en hij aarzelt. Hij wist toen nog niet dat de duivel vele gedaantes heeft. David merkt zijn aarzeling en dringt aan.

'Het is een moeilijke beslissing, daar ben ik me van bewust. Laten we daarom het volgende afspreken. Als Sharon over een paar jaar weer gezond en normaal is, krijg je Mozes terug. We vinden dan wel een manier. Ik heb het je al gezegd: alles wat ik doe is in zijn belang. Ik wil dat hij een gelukkige jeugd heeft.'

Roberto aarzelt. Die edelmoedigheid had hij niet verwacht. Maar toch… David ziet de twijfel in zijn ogen.

'Je weet niet of je me kunt vertrouwen. Je moet je lot in mijn handen leggen. Oké, luister. Ik zet onze afspraak in een brief. Een persoonlijke, schriftelijke overeenkomst. Waarschijnlijk zijn we een misdrijf aan het begaan, maar het is minder erg dan kindermoord, vind je ook niet? Als ik mijn belofte dan niet nakom, heb jij altijd nog dat stuk papier. Geen enkele rechter zal je een vaderschapstest ontzeggen met dat in handen.'

David lijkt overal aan gedacht te hebben. Hij is razendsnel. Heeft hij echt elk detail in die afschuwelijke nacht uitgewerkt?

'De brief bewijst dat jij de vader bent van Mozes. Je kunt altijd op je beslissing terugkomen.'

'En wat zal Benedetta zeggen? Mozes wordt ook haar zoon…'

'Benedetta wil dolgraag een kind. Je kent haar. Ze houdt nu al van Mozes alsof het haar eigen zoon is. Er is geen betere moeder denkbaar.'

Details, details en nog meer details: veel te laat realiseert Roberto zich dat hij verstrikt raakt in de details. Geld, voorwaarden, handtekeningen… onvermijdelijke details.

'Als je akkoord gaat, noem ik in de brief ook het bedrag dat ik aan je overmaak. Ik wil zelf ook een garantie.'

Roberto knikt. Een naar gevoel van vernedering bekruipt hem.

'Nou, hebben we een afspraak?' dringt David aan. 'Je moet een beslissing nemen.'

Roberto knikt.

'Goed.'

Alles verloopt precies zoals David had voorspeld. Bij hun thuiskomst in Italië stelt de politie een onderzoek in. Als er een kind doodgaat, is een ongeïnteresseerd proces-verbaal van hun Marokkaanse collega's niet voldoende. David, Roberto, Benedetta en de schipper vertellen allemaal hetzelfde verhaal – van een tragisch ongeluk – terwijl Sharon herhaalt dat ze in de hut was, van niets weet en zich niets kan herinneren. Er zijn geen aanwijzingen om een aanklacht in te dienen, maar een koppige agent blijft de zaak toch onderzoeken. Hij gaat dieper in op hun onderlinge verhoudingen, ontdekt Roberto's verleden van hasj roken en drinken, en verzamelt met name informatie over Sharon en haar drugsverslaving. De verdenkingen stapelen zich op. Gelukkig heeft de wereld van de muziek lange armen en zitten Davids fans overal, ook bij de politie. Een paar jaar eerder had David een commissaris leren kennen, aan wie hij een getekende partituur cadeau had gedaan. Dat komt nu goed uit. De man is gevleid dat hij langskomt en belooft persoonlijk een einde te maken aan de vervelende vervolging. Een paar dagen later wordt de ijverige agent overgeplaatst naar Reggio

Calabria, en het dossier opgeborgen. De commissaris krijgt het zelfs voor elkaar – een regelrecht wonder – dat de pers er niets van komt te weten. Nu dat probleem ook is opgelost, gaan Roberto en David ieder hun eigen weg.

Op naam van Roberto worden punctueel stortingen gedaan en het bedrag – in tien delen, zodat het niet te veel opvalt – wordt via een grote omweg langs banken over de hele wereld naar hem overgemaakt. Roberto en Sharon gaan op een piep-klein eilandje in de Straat van Malakka wonen, dat ze voor een gunstige prijs hebben kunnen kopen. Zon, stilte en apathie. Rust niet, die zal Roberto nooit meer kennen. Maar het loopt anders dan hij zich had voorgesteld. Met name het geld. Dat verdwijnt in een tempo dat hij nooit voor mogelijk had kunnen houden. Het gaat op aan drugs, foute aankopen, mislukte investeringen en opnamestudio's: aangeschaft, op het eiland geïnstalleerd en kapotgemaakt door het zand dat overal in gaat zitten. Ten slotte begrijpt Roberto waarom het geld in het niets lijkt op te gaan: hij haat het geld dat hij voor Mozes ontving. Het kleine bedrag dat nog over is, verdwijnt in één nacht. De dieven weten hem en Sharon te verdoven en nemen alles mee: het geld, de juwelen, de muziekinstrumenten, de elektronische apparaten en de schilderijen. Hij was ervoor gewaarschuwd: piraten vormen een wezenlijke dreiging in dit gebied. Gelukkig hebben ze hen in leven gelaten. Gelukkig? Dat hangt er maar van af hoe je het bekijkt. Zijn onverschilligheid verdwijnt echter als hij ontdekt dat ze ook de brief hebben gestolen, het enige dat hij nog belangrijk vond, dat hem op een dag misschien zijn zoon terug had kunnen bezorgen. Nogmaals is de navelstreng doorgesneden. Het laatste beetje hoop is voorgoed vervlogen.

Sinds hun komst naar het eiland is Sharon nog depressiever geworden. Ze blijft maar naar haar kind vragen, wat er gebeurd is, waarom hij in zee is gevallen. Talloze malen heeft hij op het punt gestaan haar te vertellen wat er die nacht op de boot werkelijk is gebeurd, maar hij heeft zich steeds ingehouden. Ook al weegt de waarheid dubbel zo zwaar als je haar alleen moet dragen. Sharon huilt onophoudelijk, ze jammert en smeekt. Haar kind. Ze wil haar kind terug. Op een dag verdwijnt ze. Roberto kan haar nergens vinden. Er wordt overal gezocht, op het eiland en ook in zee. Geen spoor. Roberto weet dat hij haar nooit meer terug zal zien. Het enige dat hij nog overheeft is zand. Hij haat het eiland en hij haat zichzelf. Van de plek kan hij wegvluchten, maar van zichzelf niet. Hij kan de boel niet eens verkopen, het lijkt wel alsof niemand het meer wil hebben, en daarom gaat hij op een dag gewoon weg. Hij monstert aan als matroos op een schip dat toevallig aanlegt. Een bemanningslid voelde zich niet lekker en hij kan zijn plaats innemen.

Dan begint zijn nieuwe leven – het derde? het vierde? hij is de tel kwijt – waarvan hij gelukkig de touwtjes niet meer zelf in handen heeft. Van het ene schip gaat hij over op het andere. Hij reist de wereld rond, of liever gezegd, hij laat zich rondreizen, en bekommert zich niet om de bestemmingen. Niets is prettiger dan beslissingen over te laten aan anderen. Zijn eigen beslissingen zijn namelijk allemaal verkeerd geweest. Op een dag, in de buurt van Sausalito, komt hij hem tegen. Roberto heeft net met een passagiersschip aangelegd en is aan land gegaan. Hij heeft de halve dag vrij en brengt die op zijn gebruikelijke manier door: met doelloos rondzwerven. Tussen de woonboten, die een grappig soort hippiegemeenschap vormen, ziet hij hem zitten. Op de stoep aan de overkant, met een blikje bier in zijn hand, ziet hij er ongeveer net zo uit als hijzelf: wanhopig.

Hij kijkt hem aarzelend aan. Hij weet het eerst niet zeker, maar het witblonde stekeltjeshaar neemt zijn twijfels weg. Hij is het echt, de schipper van Davids Grand Soleil. Eindeloos lang staren ze elkaar aan, de voorbijflitsende auto's maken het onmogelijk de straat over te steken.

'Kom we gaan wat drinken,' zegt de man als Roberto eindelijk naast hem staat Roberto eindelijk naast hem staat.

Op een kruk in een loungebar vertelt hij hem het hele verhaal. Ja, David heeft hen allebei bedonderd. Dat hem dat bij de jonge en naïeve Roberto is gelukt verbaast hem niets, maar bij hemzelf…

Roberto luistert en heeft het gevoel dat hij naar een film kijkt die hij al een keer heeft gezien. Nu is die vanuit een andere hoek gedraaid, met een verborgen camera. Hetzelfde verhaal, verteld door een ander, wordt een heel ander verhaal.

Hoe is het mogelijk, zegt de zeeman bitter, dat hij nooit argwaan heeft gekoesterd? Dacht hij nou echt dat het het Sháron was geweest – is ze dood? wat erg – die de kleine in gevaar had gebracht, destijds in de badkuip en in de keuken met het gas aan? Hoe kan hij zo stom zijn geweest? Ja, vraagt Roberto zich af, hoe in godsnaam? Maar hij kent het antwoord: hij hield te veel van haar, zo onvoorwaardelijk dat hij haar alles vergaf.

En die nacht? vraagt Roberto aan de zeeman met het korte haar. Natuurlijk niet, roept die met een bittere lach, die nacht ook niet. Natuurlijk heeft Sharon het kind niet in zee gegooid. Zij lag in haar hut, bedwelmd door de heroïne die de schipper haar zelf had bezorgd. 's Nachts heeft hij haar opgetild, versuft als ze was, en aan dek gedragen. David was daar ook en is met Mozes in zijn armen het water in gesprongen. Toen heeft de schipper om hulp geroepen, net op tijd om de redding in scène te zetten.

De inbraak op het eiland was ook zijn werk geweest. Volledig door David georganiseerd. In het geld en de juwelen was die natuurlijk niet geïnteresseerd. Dat was alleen maar voor de show. Het ging eigenlijk om de brief. Om de overeenkomst. Die heeft hij gestolen en dezelfde nacht nog bij David afgeleverd.

Hij zou me daar eigenlijk flink voor betalen, zegt de zeeman. Hoe heb ik hem kunnen vertrouwen? Hij vraagt zich nog steeds af waar het fout is gegaan. David had hem een klein bedrag gegeven en toen een flinke schop onder zijn kont. Om zich ervan te verzekeren dat hij – een gevaarlijke getuige die hem zijn leven lang zou kunnen chanteren – zou verdwijnen, had hij hem zelfs aangegeven voor diefstal, geweldpleging, drugshandel en illegaal wapenbezit. Daarom moet hij zich nu schuilhouden, steeds weer aan boord van een ander schip. Eén ding is echter zeker: hij zal het hem betaald zetten, hij weet nog niet hoe of wanneer, maar ooit zal het hem lukken.

Verdoofd kijkt Roberto hem aan, wankel als een bokser in de ring die bijna knock-out gaat. Vanuit dit perspectief is de film nog vervelender dan de oorspronkelijke versie. Het lijkt wel een complot.

Toch gebeurt er in die bar in Sausalito iets dat op een klein wonder lijkt. De wederopstanding van Roberto. Zijn moeheid zet zich om in woede en zijn berusting in verlangen naar wraak. Nu Roberto puur toevallig de waarheid heeft ontdekt, is hij geenszins van plan David ermee weg te laten komen. Het is tijd voor actie.

'Heb jij een wapen?' vraagt hij aan de schipper.

'Ben je gek geworden?'

'Nou?' dringt hij aan.

Taxerend kijkt de zeeman hem aan. Dan besluit hij dat dit weleens de juiste man zou kunnen zijn. Wraak via een tussenpersoon is altijd beter dan niets.

'Nee, maar ik weet wel hoe je eraan kunt komen,' antwoordt hij uiteindelijk.

Roberto vertrekt onmiddellijk naar Italië. Het is niet moeilijk een pistool mee te smokkelen als je op een privéschip de oceaan oversteekt en rechtstreeks in Porto Cervo aan land gaat. Davids nieuwe adres is ook niet zo moeilijk te achterhalen: hij woont in een villa aan zee, vlak bij zijn geboortedorp. Gelukkig heeft Roberto nog een paar vrienden over in de muziekwereld.

Roberto vertelt… (4)

Beneden in de baai, voorbij de haarspeldbochten, kan hij het dorp van David al zien liggen, als er plotseling een rood-wit signaalbordje op de weg verschijnt. Een politieagent is achter een bocht vandaan gekomen. De agent beweegt het bordje op en neer, om aan te geven dat hij vaart moet minderen, en steekt het dan uit, om hem duidelijk te maken dat hij moet stoppen. Even komt Roberto in de verleiding gas te geven en door te rijden. Hij is zijn doel zo dicht genaderd, nu wil hij niet meer opgeven. Hij werpt een onderzoekende blik op het gezicht van de agent en verandert meteen van gedachten. De jonge man in uniform – van ongeveer zijn eigen leeftijd, met zwart haar en een zorgvuldig bijgewerkt sikje – ziet er niet achterdochtig uit. Het is duidelijk een routinecontrole. Dus zet Roberto de auto – een Lybra gehuurd in Genua – aan de kant, draait het raampje omlaag en glimlacht beleefd naar de agent. Hij geeft hem zijn rijbewijs en de autopapieren. Hooguit een paar minuten, denkt Roberto, en dan kan hij weer verder rijden. Hij moet geduldig zijn en zijn gierende zenuwen in bedwang proberen te houden.

'Een ogenblik, alstublieft,' zegt de agent en hij loopt naar zijn eigen auto, een blauwe Fiat Punto die achter de rots staat geparkeerd. Roberto volgt zijn bewegingen in de achteruitkijkspiegel. De agent loopt om de auto heen, naar de openstaande kofferbak. Op de passagiersstoel zit een tweede agent, ouder en met een dikke buik, op een laptop te werken. De jongere agent legt de documenten op de hoedenplank, pakt de microfoon op en zegt iets in de radio. Roberto schrikt: zal er wat uitkomen? Staat de verdwijning van Mozes in een of ander elektronisch archief geregistreerd? Zal zijn aanwezigheid in de buurt van het huis van David argwaan wekken?

Roberto kijkt met ingehouden adem naar de agent. Die legt de microfoon weer neer, pakt de documenten en komt teruggelopen. Hij bukt voorover en reikt hem door het open raampje zijn rijbewijs en autopapieren aan. Nu zegt hij dat ik kan gaan, denkt Roberto terwijl hij zijn portefeuille in zijn zak stopt. Een gevoel van opluchting maakt zich al van hem meester, als de agent plotseling vraagt: 'Kunt u de kofferbak even opendoen, alstublieft?'

Roberto schrikt zich dood, want in de kofferbak ligt het pistool. Hij heeft het wel in een doek gewikkeld, maar hij kan er niet van uitgaan dat de agent alleen maar een oppervlakkige blik naar binnen werpt. Dit had hij niet verwacht. Hij moet improviseren.

'Natuurlijk,' antwoordt hij met een brede glimlach. Met zijn hand tast hij naar het hendeltje en doet net alsof hij er twee, drie keer aan trekt.

'Verdorie,' zegt hij dan, 'hij zit weer eens vast. Wacht even, ik maak hem met de sleutel open.'

De agent doet een stap achteruit, om hem de ruimte te geven het autoportier open te doen. Roberto stapt uit, glimlacht nogmaals en loopt naar de achterkant van de auto. De agent loopt vlak achter hem aan. Roberto steekt de sleutel in het slot, draait hem om en duwt de knop in. Langzaam komt de klep omhoog, door hydropneumatische cilinders gestuurd.

'Zo,' zegt hij en hij steekt ongezien zijn hand naar binnen. Op de tast vindt hij de doek en zijn vingers voelen de geruststellende aanraking van de kolf. Als hij zich naar de agent omdraait, heeft hij het pistool al in de hand.

'Rustig blijven,' zegt hij en hij richt het wapen op de buik van de agent.

'Doe geen stomme dingen,' sist die geïrriteerd, omdat hij zich als een groentje heeft laten verrassen.

'Ik doe je geen kwaad,' zegt Roberto, nog steeds glimlachend. 'Roep je collega eens.'

'Die zal onheil ruiken,' meent de agent. 'We gaan nooit alle twee tegelijk de auto uit.'

'Roep hem nou maar.'

De agent wil zich omdraaien, maar Roberto duwt de loop van het pistool in zijn maag.

'Niet omdraaien. Alleen je hoofd.'

De agent gehoorzaamt. Hij draait zijn hoofd zo ver hij kan en roept: 'Giovanni!'

Giovanni, die nog steeds zit te typen, tilt verwonderd zijn hoofd op.

'Kom eens even, alsjeblieft.'

Het is een eindeloos lang moment stil. Dan legt de oudere agent de computer opzij en stapt de auto uit. Hij loopt naar hen toe.

'Rustig blijven,' fluistert Roberto tegen de agent die hij onder schot heeft. De andere komt langzaam dichterbij. Roberto glimlacht naar hem, om zijn eventuele achterdocht weg te nemen. Maar misschien houdt hij het pistool slecht verborgen of hebben zij een geheime code om elkaar te waarschuwen voor gevaar, een bepaald woord wellicht of een zin of misschien gewoon dat ze elkaar bij de naam noemen, Roberto zal het nooit weten, in ieder geval komt de oudere agent uiterst kalm op hem af, maar eenmaal dichterbij geeft hij plotseling een stoot tegen de arm die het pistool vasthoudt. Volledig verrast laat Roberto het wapen vallen, en de agent grijpt hem bij zijn middel. Nu komt ook de jongere in actie, en probeert hem pootje te haken.

Roberto verliest zijn evenwicht en rolt op de grond, maar het toeval wil dat hij precies naast het pistool terechtkomt. Hij hoeft zijn hand maar uit te steken en hij heeft hem al vast. Maar de twee agenten geven zich niet over. Ze werpen zich al weer op hem. Hij schreeuwt:

'Ga weg!'

Maar het heeft geen zin, die twee laten zich niet bang maken. In het gevecht dat volgt stoot er iets of iemand tegen zijn hand. Een schot gaat af. De jongere agent vertrekt zijn gezicht van de pijn, ploft op zijn zij en grijpt naar zijn dijbeen. Een straal bloed sijpelt door het stof.

Eindelijk geeft de oudere agent het op. Hij heeft begrepen dat Roberto gevaarlijk is.

'Opzij!' commandeert Roberto en hij zwaait met het pistool in de lucht. De agent deinst achteruit, terwijl zijn collega op de grond ligt te kreunen van de pijn.

Roberto springt in de auto, start de motor en stuift weg. Een stommiteit, realiseert hij zich later: hij had tenminste de patrouilleradio kapot kunnen maken en de banden lek kunnen schieten. Maar hij denkt alleen maar aan vluchten. Jezus, hij is zo dicht bij zijn doel! Het geeft niet als ze hem daarna in de gevangenis gooien. Hij moet de villa bereiken en wraak nemen.

Het lukt hem niet. Na een bocht, een paar minuten later, versperren twee speciale politieauto's hem de weg. Hij trapt hard op de rem. De auto slipt en Roberto verliest de macht over het stuur. Hij knalt tegen de berg aan. Door de klap stoot zijn hoofd door de voorruit. Als hij weer bijkomt, is hij al in de boeien geslagen. Terwijl ze hem naar de blauwe Alfa 156 sleuren, kan hij nog net een blik werpen op het dorp beneden, aan het einde van de weg. Hij barst in tranen uit. Hij huilt van woede, als een klein kind. Hij huilt, omdat zijn wraak binnen handbereik lag en hij zijn kans heeft verspeeld.

Tijdens het proces vertelt Roberto wat er gebeurd is met Mozes en Leonardo, met Sharon, de schipper en de adoptie. Hij komt erachter dat de adoptie in Oekraïne heeft plaatsgevonden, en zijn advocaat legt uit dat er in Oekraïne geen formaliteiten zijn rond adopties. De jurist raadt hem af door te blijven zeuren over de overeenkomst met Loreani, maar verstrekt hem wel veel informatie. Zo ontdekt Roberto dat David voor Oekraïne heeft gekozen, omdat de overheidscontrole op adopties daar minimaal is en de macht van lokale ambtenaren absoluut. De ouders onderhandelen zelf, zonder vervelende inmenging en zonder controles. De naïevelingen die geen geld bij zich hebben, krijgen kinderen aangeboden van een jaar of tien, twaalf, of gehandicapte, zelfs misvormde kinderen. Maar dertig of hooguit veertig miljoen lire is genoeg om zelf een kind uit te mogen kiezen. De Europese Conventie, die Italiaanse burgers verplicht gebruik te maken van wettelijk erkende instellingen, is daar nog niet van kracht. Iedereen kan het, in Oekraïne tenminste, nog zelf doen. Een paar handtekeningen op een formulier waren voldoende en Mozes, toen Leonardo geworden, kon legaal mee naar huis. Ondertussen waren David en Benedetta door de jeugdrechtbank in Italië geschikt verklaard voor adoptie. Meestal duurt dat zes maanden, maar een van de voordelen van roem is dat je nooit in de rij hoeft te staan: niet in een restaurant en bij de rechtbank evenmin. De jeugdrechtbank heeft de Oekraïense documenten gecontroleerd en de geldigheid van de adoptie bevestigd. Einde verhaal.

Eindelijk zijn alle details helder. Maar alleen voor hem. Niemand gelooft hem. De situatie lijkt ook duidelijk: een mislukte muzikant is geobsedeerd door zijn idool, leert hem kennen en raakt vervolgens van hem vervreemd. Voor wat betreft de ruil van het kind ontbreekt ieder motief. Waarom zou David zoveel voor Mozes betalen, als er op de wereld miljoenen kinderen te adopteren zijn? Als Roberto antwoordt: 'Omdat hij mij haat, omdat hij mij kapot wil maken', kijken de advocaten en openbaar aanklagers elkaar veelbetekenend aan. Er kan natuurlijk een DNA-test worden gedaan. Maar wie heeft er zin om dat een beroemdheid op te leggen? En op grond van welke verdenkingen bovendien? Nee, antwoordt het Openbaar Ministerie hoofdschuddend, het kan niet. 'Verzoek afgewezen,' oordeelt de rechter. Roberto kan alleen nog civielrechtelijke stappen ondernemen. Ondertussen staat hij terecht, naast onrechtmatig wapenbezit en verzet tegen een overheidsfunctionaris, voor poging tot moord, vervolgens afgezwakt tot het toebrengen van ernstig letsel: de kogel heeft een ader geraakt in de dij van de politieagent, die het op wonderbaarlijke wijze heeft overleefd. De kranten volgen het proces op de voet en zijn tevreden met het uiteindelijke vonnis: tien jaar, de verzachtende omstandigheden wegen niet op tegen de verzwarende.

Tijdens het hele proces hoopt Roberto David, en vooral Mozes, in het publiek te zien. Maar de zanger komt niet opdagen: hij is spoorloos verdwenen, wie weet waarheen. Hij heeft niet eens met de pers willen spreken. Zijn verklaring was ook niet van essentieel belang: hij is geen benadeelde partij en ook geen getuige. Roberto's verdediging heeft herhaaldelijk verzocht hem te mogen verhoren, maar het hof heeft de verzoeken steeds afgewezen.

Terwijl hij zich uit de vieze en naar opeengepakte mensen stinkende rechtszaal laat wegvoeren, snapt Roberto dat hij opnieuw heeft gefaald. Toch heeft het leven nog een verrassing voor hem in petto. Op een middag zes jaar later, als hij in zijn cel in Bergamo het burgerlijk wetboek doorneemt op zoek naar iets dat hem kan helpen een vaderschapstest aan te vragen, valt zijn oog op een oud exemplaar van de *Corriere della Sera*, dat iemand daar heeft neergelegd om verfblikken op te zetten. De foto is van ver genomen, en net gedeeltelijk door een blik bedekt, maar hij zou zweren dat het de helft van het gezicht van David was. En inderdaad. Snel raapt Roberto de verkreukelde pagina op. Tussen de verf door is het artikel nog net te lezen.

In een lang interview vertelt David aan de journalist dat hij een nieuw album heeft gemaakt en om het te beschrijven gebruikt hij dezelfde woorden als Roberto jaren eerder. Zijn naam komt er niet in voor, maar er zit hem iets anders dwars. Aan het einde staat iets wat hem volledig van streek maakt. Het is het antwoord op een van de laatste vragen van de journalist, namelijk wat David ertoe heeft gebracht weer te gaan componeren, na bijna twintig jaar. 'Leonardo heeft mij geïnspireerd, zijn onschuld en zijn fantasie,' leest Roberto in de krant. 'Leonardo is mijn meesterwerk.'

Roberto is verbijsterd. Leonardo is niet van David, maar van hem, alleen van hem! David had zijn ideeën en muziek al afgepakt, en nu ook nog zijn zoon, het laatste beetje leven dat er van Sharon over is. Alhoewel hij dacht niets meer te kunnen voelen, wordt Roberto woedend. Hij heeft inmiddels lang genoeg in de gevangenis gezeten om te weten dat er bij David in de buurt, op een klein eiland, een oude, vervallen gevangenis staat, waar niemand naartoe wil. Hij vraagt overplaatsing aan en krijgt die toegewezen. Een maand later ziet hij vanaf de binnenplaats van de gevangenis, terwijl hij met zijn hand zijn ogen tegen het felle zonlicht beschermt, de villa van David liggen: een witte stip op de donkere rotsen. Daar woont zijn vijand. Maar vooral: daar woont zijn zoon. Hij heeft de zwakke plekken in de bewaking al ontdekt, en ook een aantal mogelijke vluchtwegen. Nee, belooft hij zichzelf, terwijl hij vanuit de verte het ogenschijnlijk onbereikbare huis bestudeert: dit keer zal hij geen fouten maken. Het moment van vergelding is aangebroken.

Hé, is daar iemand?

'Kom op, Leonardo. Die onzin geloof je toch niet…'

Hij keek hem zwijgend aan.

'Dat ik jou in zee zou hebben gegooid, en dan gered… om je daarna in het geheim te adopteren… waar, in Oekraïne? Zie je het dan niet? Het is een smakeloos verhaal dat hij alleen maar heeft bedacht om jou tegen mij op te zetten…'

David maakte zijn zin niet af. In het licht van de zaklamp zagen hun gezichten er spookachtig uit. Leonardo keek hem ernstig aan.

'Heb je het niet door?' probeerde David weer. 'Het is maar een verhaal, een verzonnen verhaal. Waarom vraag je het niet aan…'

Hij zweeg. Leonardo dacht: aan wie zou ik het moeten vragen? Er was immers niemand meer over.

'Papa…' zei hij. Hij zweeg. 'David… Laat maar. Ik weet toch dat het waar is. Hij is mijn echte vader.'

'Wat zeg je nou, Leonardo? Hij jouw vader… Maar ik heb je toch opgevoed! Heb je hem ooit eerder gezien, voor vannacht? Herkende je hem soms, toen hij hier binnenkwam?'

Leonardo schudde zijn hoofd.

'Laat maar. Ik weet dat het zo is.'

Uit zijn ogen straalde een nieuwe zekerheid, maar David gaf zich niet gewonnen.

'Dus dat is jouw echte vader, hè? Misschien moet je dan maar eens iets zien. Kom mee, Leonardo. We gaan naar de kluis op mijn kamer. Ik moet je iets laten zien.'

'Dit soms, papa?'

Leonardo haalde een gevouwen, officieel uitziend vel papier uit zijn broekzak. David was sprakeloos.

'Hoe kom je daaraan?'

'Ik heb het gepakt toen ik boven was om droge kleren te halen…'

Ook Roberto was verbaasd.

'Maar je had de sleutel toch weggegooid?'

'Er is helemaal geen sleutel, sukkel,' snauwde David hem toe. 'De kluis heeft een combinatieslot.' Toen vroeg hij aan Leonardo: 'Hoe heb je hem open gekregen?'

'Op een keer, toen jij dacht dat ik buiten speelde, was ik teruggekomen om een soldaatje te halen…'

David schudde zijn hoofd.

'Je kunt het niet hebben gezien. Als ik de kluis openmaak, doe ik altijd mijn kamerdeur dicht.'

'Ik heb het ook niet gezíén, ik heb het gehoord. De knopjes maken geluid als je erop drukt, net als die van een mobiele telefoon. Zo…'

Leonardo neuriede de elektrische tonen van het combinatieslot.

'Die keer heb ik het gehoord en onthouden. "Het kluisliedje", noem ik het…'

David begon zijn geduld te verliezen.

'En waarom heb je hem opengemaakt?'

'Ik dacht dat hij voor de schat kwam, die je in de tuin hebt verstopt…'

'Welke schat toch, Leonardo? Er ligt helemaal geen schat in de tuin.'

'… ik dacht dat er in de kluis een schatkaart lag. Het is tenslotte de veiligste plek in huis. Jij doet altijd de deur dicht als je de kluis openmaakt. Ik wist zeker dat er een kaart in lag…'

'Wat voor kaart? Waar heb je het toch over, Leonardo?'

'Dus toen ik die kleren ging halen, leek het me beter om de kaart te pakken. Die wou ik aan hem geven. Zodat hij de schat zou pakken en weg zou gaan…'

Roberto en David luisterden met ingehouden adem.

'… maar er lag geen kaart in de kluis. Er lag wel een brief. Déze brief,' en hij wapperde ermee.

'Geef hier,' zei David. Hij deed een stap in zijn richting, en strekte zijn hand uit.

Leonardo ging niet achteruit. Hij hield het papier achter zijn rug.

'Ik heb alleen de eerste zin gelezen, daar staat *persoonlijke overeenkomst…*'

'Geef hier, Leonardo.'

'… tussen David Loreani en Roberto Conticini. Tussen jullie dus, papa.' Hij had hem papa genoemd.

Roberto richtte zich vanuit zijn positie op de grond tot David.

'Dus je hebt hem toch bewaard. Al die tijd had je hem in de kluis liggen. Daar heb ik altijd op gehoopt, ik wist wel dat je hem niet zou vernietigen…'

Met een ruk draaide David zich naar Roberto. Hij was woedend. 'Natuurlijk niet, idioot! Ik ben altijd bang geweest dat jij op de een of andere dag uit het niets zou opduiken om Leonardo terug te halen. Ik heb in doodsangst geleefd dat dat zou gebeuren. Ik heb zelfs een waakhond genomen. Stom, hè? Ik dacht dat een hond je wel op afstand zou houden. Ben je nu tevreden? Ja, ik ben bang geweest… Ik heb het document niet laten stelen om het te vernietigen, maar om het te bewaren voor de dag waarop jij zou verschijnen. Het is de enige manier om Leonardo duidelijk te maken wat voor een man jij bent.'

David keek weer naar Leonardo.

'Geef mij dat papier.'

Hij schudde van nee.

'Goed dan, kijk zelf maar. Onderaan. Daar staat een bedrag. Met heel veel nullen. Dat is het bedrag dat ik aan hem heb betaald. Dat is de prijs die ik voor jou heb betaald. Hoor je dat, Leonardo? Jouw vader heeft je voor zeven miljard lire verkocht.'

Leonardo deed twee stappen naar achteren, om buiten het bereik van David te blijven. Hij pakte de zaklamp en scheen ermee op het papier. Hij keek vluchtig. Tussen de letters stond een bedrag in cijfers. Met negen nullen. Zeven miljard.

Hij deed het document omlaag. Hij trilde. De zaklamp wees naar beneden en het licht weerkaatste zwak op hun gezichten.

David liet zich in een stoel vallen. De storm loeide door de huiskamer, de gordijnen wapperden wild en de regen viel schuin door het raam naar binnen. Maar hij zag het niet. Met gebogen hoofd en zachte stem begon hij te praten.

'Het is allemaal waar, Leonardo. Die dag in het zwembad herinner ik me nog goed. Hij gooide je in de lucht en ving je weer op. Ik lag naar jullie te kijken. Op dat moment realiseerde ik me dat ik hem haatte. Dat was al langer zo, maar ik werd me er toen pas van bewust. Ik haatte hem, zijn uitdagende lach, zijn talent. Maar ik haatte vooral zijn jeugd. Ik was al op mijn retour, terwijl hij... Hij was een pasgeboren vogel, zei hij niet zoiets? Net uit het ei en al klaar om mij het nest uit te gooien voor hij goed en wel veren had. Snap je, Leonardo? Hij gaf alleen om de muziek, om het album, om het succes en hij wilde mij gebruiken om dat te bereiken. En ik... ik wilde alleen jou, ik had genoeg van de rest. Er was maar één manier om jou te krijgen: door hem uit te schakelen.'

'En dat van die boot?' vroeg Leonardo.

'Ja, dat van die boot is ook waar. Ik ben met jou in zee gesprongen, en heb daarna net gedaan alsof ik je had gered. Je bent nooit in gevaar geweest, dat zweer ik je. Ik had alles onder controle. En die overeenkomst… Zie je het dan niet? Als hij echt had gewild,' en minachtend keek hij naar Roberto, 'had hij kunnen weigeren. Niemand heeft hem gedwongen. Hij heeft je gewoon verkocht. Ook al is het daarna allemaal anders gegaan dan ik me had voorgesteld. Ik kon hem maar niet vergeten en was voortdurend bang dat hij zou terugkomen. Benedetta was ook ongerust en zij had last van haar geweten… Haar geweten! Als het niet zo belachelijk klonk, zou ik zeggen dat zelfs ik een geweten heb. Sindsdien slaap ik praktisch niet meer… en als dat nou het enige was, maar ik kon ook geen muziek meer schrijven. De muziek was weg. De platenmaatschappijen zaten achter me aan, maar ik kreeg geen noot meer op papier. Ik dacht dat ik mijn geluk wel had verdiend, maar…'

Half smekend en half dreigend keek David naar de jongen op.

'Voor je je oordeel velt, moet je je één ding bedenken. Wat voor een vader zou Roberto geweest zijn? Altijd stoned, dronken, op stap met die leuke vrienden van hem. Hij gaf niets om je, dat is de waarheid. En dat document is het bewijs…'

Roberto lag nog steeds op de grond en maakte zich kwaad. Soms opende hij zijn mond om David in de rede te vallen, maar dan deed hij hem weer dicht, alsof hij de juiste woorden niet kon vinden.

'Ik heb je grootgebracht, opgevoed en van je gehouden. Wat was daar slecht aan? Ik wilde niets liever dan een zoon, en hij… Hij had je wel, maar verdiende je niet.'

Hij kwam uit de stoel en strekte zijn armen naar Leonardo uit.

'Ik heb je een gezin gegeven. Een gezin dat je anders niet had gehad. Misschien ben ik soms een beetje streng tegen je geweest, maar dat was voor je eigen bestwil, omdat ik van je houd. Ik ben je echte vader.'

'Net als Barrie, hè David?' viel Roberto hem in de rede.

'Hou je kop jij!'

Roberto liet zich niet intimideren.

'Zeg nou maar gewoon dat je het idee hebt gekregen toen je zijn biografie las. Gedrongen, klein, lelijk, maar geniaal. Daar kon je je makkelijk mee identificeren, hè? Toen hun moeder stierf, heeft Barrie die vijf kinderen geadopteerd. Maar hij kwam erachter dat vader zijn heel anders is dan oom spelen. De kinderen in het park zien en verhalen vertellen is heel wat anders dan voor ze zorgen, iedere dag, ook als ze huilen, ziek zijn, niet gehoorzamen... Jij dacht dat een kind een soort klein soldaatje was, of een soort hond, zoals Nana... Nietwaar, David?'

'Hou op!'

'Weet je wat er gebeurd is met de kinderen van Barrie, Leonardo? Eentje wilde per se het leger in, ook al was hij nog maar zeventien. En een ander, zijn lievelingskind, heeft zelfmoord gepleegd...'

'Niet!' schreeuwde David. 'Dat is niet waar...'

'Toe nou, David, dat weet je best...'

'Niet naar hem luisteren, Leonardo. Ik wilde alleen dat jij beter zou zijn dan de rest. Uniek, speciaal, uitzonderlijk... Je bent mijn zoon!'

David strekte zijn armen naar hem uit, maar Leonardo maakte geen aanstalten om dichterbij te komen. Hij keek van David naar Roberto en van Roberto naar David. Dat wat hij nooit had verwacht was gebeurd. Alleen een kind – iemand die gelooft in tovenaars, heksen, feeën, sprookjes en vaders die hun kinderen in het bos achterlaten – kon een dergelijke situatie aan. Leonardo keek naar hen allebei, om de beurt. Hij had twee vaders. Of misschien geen een. Hij moest kiezen. Maar voor wie? Voor David of voor Roberto? Voor de een die hem als klein kind in de steek had gelaten, en die vanavond weer uit het water was opgedoken om hem terug te halen, of voor de ander, die hem zo graag had willen hebben dat hij hem had gestolen?

Leonardo deed zijn mond open, maar hij kreeg niet de kans om iets te zeggen.

'Is daar iemand?' riep een stem uit de keuken. 'Hé, is daar iemand?'

4 UUR

Goedenavond

Instinctief scheen Leonardo met de zaklamp in de richting van de stem. Toen bedacht hij zich en richtte hem naar de grond.

'Leonardo, David, zijn jullie daar?'

David en Roberto keken elkaar aan. Wie was dat?

Leonardo wierp een blik op de klok, die maar net werd verlicht door de weerkaatsing van de zaklamp. Vier uur. De afspraak was pas om zes uur. Vincenzo was te vroeg. En met dit hondenweer… waarom was hij überhaupt gekomen? Hij keek naar David en realiseerde zich dat hij niets over het sms'je had gezegd. Was hij het vergeten of… ? Hij vergat eigenlijk nooit iets. Misschien had hij het wel verborgen willen houden.

In de keuken was het te donker om iets te zien. Alleen die stem kwam ervandaan.

'Leonardo, David! Zijn jullie thuis?' Dit keer klonk het ongerust.

David keek vragend naar Leonardo, maar die haalde zijn schouders op. David hield zijn adem in. Hij tastte om zich heen en pakte het natte T-shirt van de grond dat Leonardo zojuist had uitgetrokken. Toen ging hij op Roberto zitten en knevelde hem. Roberto schopte en probeerde zich los te worstelen, maar David pakte hem vanachter vast en hield zijn armen in een stevige greep. Zo sleepte hij hem naar de gang en gooide hem daar in het berghok. Hij pakte een los stuk touw en bond daarmee zijn enkels aan elkaar vast. Toen deed hij de deur op slot, stopte de sleutel in zijn zak en kwam de kamer weer in.

Hij ging naast Leonardo staan en fluisterde in zijn oor: 'Kom, doe net alsof er niets aan de hand is. En geef mij de zaklamp.'

Toen riep hij met luide stem: 'We komen eraan! Wacht even!'

Ze liepen door de donkere kamer en stapten de keuken in.

'Sorry, dat ik op dit tijdstip kom binnenvallen,' zei de stem die bij het smalle silhouet in de deuropening hoorde. 'Maar ik heb iets voor jullie.'

David richtte de zaklamp omhoog op de man die net was binnengekomen.

Onder de zoom van de drijfnatte regenjas kwam een broek met rode uniformstreep tevoorschijn.

David glimlachte en stak zijn hand op. Ook Leonardo zei gedag: 'Goedenavond, hoofdinspecteur.'

En begon te lezen

'Eindelijk! Ik was al bang dat jullie iets was overkomen.'

David scheen met de zaklamp op hem. De politieagent hield beschermend een hand voor zijn ogen.

'Vincenzo... Sorry, dat we je hebben laten wachten,' zei David en hij verplaatste de lichtbundel naar de muur. Maar voor Leonardo was die vluchtige blik op de hoofdinspecteur voldoende geweest om een vreemde glans in zijn ogen te ontwaren. In het dorp ging het gerucht dat de politieman te diep in het glaasje keek. Eerst had hij daar om moeten lachen, want hij stelde zich voor hoe de politieagent letterlijk voorovergebogen in zijn glas zat te turen. Toen ze hem later hadden uitgelegd wat het betekende, begreep hij er nog minder van: hoe konden volwassenen toch van die vieze wijn drinken? Als de hoofdinspecteur nou cola dronk, kon hij het wel begrijpen. Zelf zou hij namelijk liters cola kunnen drinken, maar dat mocht niet van papa. Leonardo had gehoord dat Vincenzo drie jaar geleden was begonnen met drinken, toen zijn vrouw was gestorven aan 'een vreselijke ziekte'. Hij stelde zich voor dat ze was uitgedroogd. In ieder geval was iedereen in het dorp bijzonder gesteld op de hoofdinspecteur, en in afwachting van zijn pensioen lette niemand erop als hij, na zeven uur 's avonds, een beetje aangeschoten was.

De politieman knipperde met zijn ogen.

'Ik weet wel dat het laat is, maar…'

Het verblindende effect van de zaklamp was verdwenen en zijn ogen waren aan het licht gewend. De agent zag de verbaasde uitdrukking op Davids gezicht en was op zijn beurt verwonderd.

'Heb je mijn sms'je niet ontvangen?'

David keek naar Leonardo, maar die ontweek zijn blik. Hij schudde zijn hoofd.

'Ik denk dat het netwerk plat ligt,' zei David en hij draaide zich weer naar hoofdinspecteur Arnaudi. 'Het licht is ook uitgevallen, zoals je ziet. Wat wil je met zo'n storm…'

'Ja, natuurlijk, ik kon je inderdaad niet meer bereiken…'

Zwijgend bleven ze tegenover elkaar staan. Het zwakke schijnsel van de op de muur gerichte zaklamp verlichtte maar net de lange gestalte van de politieagent: slank, op zijn dikke buik na, met smalle ogen, volle witte wenkbrauwen en een witte bierdrinkerssnor. Hij zag er verfomfaaid uit.

'Mag ik binnenkomen?' vroeg hij uiteindelijk.

'Wat? Ja, natuurlijk…'

David deed een stap achteruit. De agent kwam de keuken in. Hij keek om zich heen, verbaasd dat hij zo koel werd ontvangen.

'Mag ik mijn regenjas uittrekken?' Zonder op een antwoord te wachten, trok hij hem al uit. 'Ik leg hem hier neer.' Hij gooide hem over een stoel. Er was niet genoeg licht, anders wist Leonardo zeker dat hij een heleboel vlekken op het uniform zou kunnen zien. Sinds hij 'te diep in het glaasje keek' liep de politieman weleens in een vies uniform rond.

David richtte de lichtbundel omhoog.

'En? Wat kom je doen op dit uur?'

'Vissen, toch? Gisteravond heb ik je een sms'je gestuurd. Volgens de weerberichten zou het namelijk mooi worden, maar zoals gewoonlijk zaten ze ernaast. Toen het weer omsloeg, wilde ik je bellen om af te zeggen, maar je was niet bereikbaar. Dat ben je trouwens nooit als het stormt, maar nu was ook je vaste telefoonlijn dood. Gek, hè? Dat is nog niet eerder gebeurd. Ik maakte me zorgen en ben dus even komen kijken. Begrijp je?'

David knikte van ja.

'Ik had eerder willen komen, niet zo midden in de nacht, maar er kwam iets dringends tussen en…'

David keek de agent zwijgend aan.

'Vind je het erg als ik even ga zitten? Ik heb de hele nacht gewerkt…'

Zonder op toestemming te wachten liep Arnaudi naar de woonkamer. Geschrokken stond David te kijken. Toen sprong hij snel naar voren en greep de politieagent nog net op tijd bij zijn mouw. Leonardo begreep wel waarom: hij wilde absoluut voorkomen dat de man de woonkamer zou binnengaan. Zelfs in het donker zou Arnaudi daar de sporen van het gevecht kunnen zien, en natuurlijk het lijk van Nana.

'Wacht even. Nu je hier toch bent, wil ik je iets laten zien.'

Gedwee draaide de politieagent zich om en liet zich naar de koelkast leiden. Iets op de deur daarvan trok zijn aandacht. Hij stak zijn hand uit, schoof een speelgoedmagneetje in de vorm van een tomaat opzij en pakte de ansichtkaart die eronder zat. Hij liet de kaart door zijn handen gaan, maar kon in het donker niet zien wat erop stond. David scheen erop met de zaklamp.

'Dat is een kaart van Benedetta. Drie maanden geleden met de post gekomen…'

De politieagent keek naar de foto van een uitgestrekt, wit strand. Toen draaide hij hem om. Hij hield hem een stukje van zich af om de tekst op de achterkant te ontcijferen.

'Uit Australië,' zei David en hij pakte de kaart uit zijn handen. Met het magneetje bevestigde hij hem weer op de koelkastdeur.

'Kijk, Vincenzo, wat ik je wilde laten zien…'

Met een plechtig gebaar trok David de grootste van de twee

deuren van de enorme koelkast open.

'Hou eens vast,' zei hij tegen Leonardo en hij reikte hem de zaklamp aan.

Hij pakte een metalen bord uit de koelkast, waarop twee enorme vissen lagen.

'Potverdorie!' zei de agent, zwaar onder de indruk.

'We hebben ze gisteren gevangen. Ze wegen bijna vijf kilo per stuk.'

Arnaudi raakte de vissen zachtjes aan, alsof hij de kop van een jong hondje aaide.

'Prachtig, David, ze zijn echt heel mooi…'

Hij zag iets en voorzichtig stak hij een vinger in de kieuw en tilde de vis daaraan op.

'Wat een gat, zeg…'

Het licht van de zaklamp scheen op het gat dat de harpoen had veroorzaakt.

'Je hebt ze echt afgeslacht, hè?'

'Ik moet ze toch vangen…'

'Ja, natuurlijk,' zei Arnaudi en hij legde de vis weer neer. 'Maar zo vind ik er niets aan. Met die speer in hun lijf blijven ze maar spartelen…'

'Dat is gewoon een doodskramp, meer niet. Ze lijden niet.'

'En al dat bloed dan en die ingewanden die eruit komen? Het is vast gek voor een politieman, maar ik heb een hekel aan geweld. Weet je dat ik in veertig dienstjaren nog nooit op iemand heb geschoten? Niet eens op een vis… Met een hengel is het heel anders, hè Leonardo?'

Die knikte. David stopte de vissen weer in de ijskast en sloot de deur.

Moeizaam boog de agent zich over naar Leonardo.

'Weet je dat mijn kleinkinderen ook vissen?'

Dat was een retorische vraag: hij had hem heel vaak op de steiger zien zitten, samen met drie of vier kinderen van ongeveer zijn eigen leeftijd. Hij bracht uren met ze door, kocht ijsjes, vertelde verhalen, aaide hen over hun bol, deed voor hoe je wormen moest vastprikken en de hengel moest werpen.

'Ja, hoofdinspecteur.'

'Het zijn de leukste kinderen van de wereld…' Hij keek naar Leonardo en realiseerde zich dat hij iets stoms had gezegd. 'Voor mij natuurlijk, omdat ik hun opa ben. Jij bent ook heel leuk, hoor. Weet je wat het is, met hen verlies ik alle besef van tijd. Ik zou uren naar ze kunnen kijken en luisteren. Weet je wat ik een keer in een boek heb gelezen? Wacht even, zoiets als, ja, kinderen zijn geen bezit. Het zijn kleine vreemdelingen… ja, kleine vreemdelingetjes, die in ons leven komen om van te genieten en voor te zorgen.'

'Sorry, Vincenzo,' viel David hem in de rede, 'maar het is kwart over vier en Leonardo…'

'Ja, je hebt gelijk… Ik heb jullie lang genoeg gestoord. Nu ik weet dat hier alles in orde is, ga ik er maar weer vandoor…'

Arnaudi wilde zijn regenjas weer aantrekken, maar voelde iets in zijn jaszak en greep naar zijn hoofd.

'Wat stom! Vergat ik nog bijna iets…' Hij schudde zijn hoofd. 'Soms…' voegde hij eraan toe terwijl hij op zijn kalende hoofd wees. Met een onhandig gebaar haalde de politieagent een stapel kranten uit zijn regenjas.

'Kijk, die heb ik voor jullie meegenomen…'

Verbaasd keek David hem aan.

'De kranten van vandaag,' zei de politieagent, alsof dat vanzelf sprak. 'Die heb ik in La Spezia van het station laten halen. En omdat ik toch langs zou komen…'

Ongerust bladerde David door de stapel.

'Moet je dit zien,' zei Arnaudi ineens hard. 'Moet je zien wat hier staat.'

Hij pakte de natgeregende *Corriere della Sera*, sloeg hem open en hield hem in het licht van de zaklamp.

luidde de drie kolommen bestrijkende kop, onder aan de pagina rechts. Daar vlak onder stond een foto van de gevangenis en de Agusta van de kustwacht die in de lucht cirkelde.

'Zie je dat?' vroeg de agent.

David haalde diep adem. Hij keek op naar de agent, die hem onderzoekend aankeek.

'Zie je dat?' herhaalde Arnaudi.

'Eh…' zei David. 'Dat is hier…'

'Natuurlijk is dat hier,' zei de agent ongeduldig.

In het donker keken David en Leonardo elkaar aan. Geen van beiden durfde als eerste iets te zeggen. Ze leken op wielrenners die een surplace maken.

'Nou, zeggen jullie niets?' drong Arnaudi aan.

'We…' David stotterde. 'We wisten het niet, we hadden het niet verwacht…'

Met een ruk kwam de agent overeind, en boog zich naar hem toe met de typische onhandige lompheid van iemand die teveel heeft gedronken.

'Hoezo niet?'

David was sprakeloos.

'Hoezo niet?' herhaalde de agent, en toen zag hij waar David naar keek, de foto in de krant.

'O, dat van de ontsnapte gevangene!' riep hij uit. 'Aan die zaak heb ik vanavond gewerkt. Een stommiteit trouwens. Niets om je zorgen over te maken. Die dwaas heeft zich in het water gegooid. Met deze ruwe zee bovendien. Arme drommel, die wordt vast ergens opgevist, de komende dagen.'

Hij wees op een verwijzing in een andere kolom.

'Nee, ik bedoelde dit.'

'Iedereen heeft het erover!' riep hij opgewonden. 'Ze zeggen dat…' Hij zweeg. 'Nee, je kunt het beter zelf zien.'

De politieagent bladerde door de krant op zoek naar het artikel. Toen hij de juiste pagina had gevonden, spreidde hij zijn armen uit alsof hij een duik ging maken, vouwde de krant dubbel en legde hem onder hun neus.

'Kijk, een kop van acht kolommen.'

David keek omlaag.

DAVID LOREANI: 'MIJN PETER PAN DOET SIDDEREN VAN ANGST.'

NA 20 JAAR IS DE MAESTRO VAN HET ITALIAANSE LIED TERUG MET

EEN DIEPZINNIG EN ONGEWOON ALBUM

David keek naar de kop zonder blijk te geven van enige emotie, alsof het artikel over iemand anders ging.

'Fijn…' dwong hij zichzelf te zeggen.

'Heb je gezien wat eronder staat?'

David keek. Onder de openingskop stond in twee schuingedrukte kolommen het echte artikel. Hij liep snel de regels langs en pikte er hier en daar een zin uit: 'De muziek sluit perfect aan op de teksten en creëert een uniek geheel dat onmiddellijk fascineert', 'David Loreani heeft het traditionele sprookje overhoopgegooid en een Peter Pan gecreëerd, die wreed, despotisch en zelfs gewelddadig is, wie had dat ooit kunnen denken', 'Niet voor niets zit er twintig jaar tussen: het resultaat is een hoogtepunt op intellectueel, cultureel en muzikaal gebied, baanbrekend voor de Italiaanse en waarschijnlijk zelfs de internationale muziekwereld'.

David liep het artikel snel door naar het einde, ook al wist hij drommels goed wiens naam hij daar zou aantreffen. *Ludovico Tosatto Ratiz.*

'Nou? En?' vroeg Arnaudi ongeduldig.

David knikte. Hij bekeek de rest van de pagina. Naast het artikel stond de close-upfoto van een gezicht. Van zijn gezicht.

'Ik heb ook dat interview met jou in de krant van een paar maanden geleden meegebracht. Weet je nog?'

David knikte weer.

'Een geweldig interview,' zei Arnaudi enthousiast, 'met diepgang.'

Hij zag Davids nietszeggende blik.

'Zal ik het voorlezen? Ik ken het al bijna uit mijn hoofd. Geef maar hier.'

Zonder op een antwoord te wachten pakte de politieman de krant, ging op een stoel zitten, zette zijn leesbril op, gaf Leonardo een seintje dat die met de zaklamp op de bladzijde moest schijnen en begon te lezen.

Het interview

Maestro Loreani, waarom heeft u twintig jaar gewacht met het uitbrengen van een nieuw album?

In de loop van de geschiedenis hebben componisten de omvang van hun oeuvre steeds verder teruggebracht. Haydn schreef 108 symfonieën, Mozart nog maar 65 en Beethoven slechts 9. Twintig jaar geleden had ik behoefte aan een lange periode van concentratie, perfectionering en reflectie. Ik wist niet welke kant ik wel op moest, maar wel welke kant niet. Ik wilde mijn creativiteit zoveel mogelijk concentreren, en alles weglaten wat ook maar enigszins overbodig was. Ik wilde de essentie scheppen. De essentie van mijn muziek.

Heeft het twintig jaar gekost om deze essentie, zoals u het noemt, te verkrijgen?

Het is veel gemakkelijker om dingen toe te voegen dan om ze weg te laten. De afgelopen twintig jaar heb ik eigenlijk niet anders gedaan dan dingen weglaten, weglaten en nog eens weglaten: alles wat niet absoluut noodzakelijk was, om zo tot de kern te komen. Maar pas op, als je te veel weglaat, stort alles in elkaar. Je moet op tijd kunnen stoppen.

Een volledige breuk met het verleden dus…

Het verleden… dat is een interessant onderwerp. We praten over het verleden alsof het niets te maken heeft met het heden, alsof het een versteend, dood en leeg deel van ons leven is: zoals die embryo's op sterk water in medische laboratoria. Graag wil ik James Matthew Barrie citeren, de schrijver van *Peter Pan*, die zei: 'Sommige mensen menen dat wij veranderen in de loop van ons leven. Ongeveer iedere tien jaar zouden wij veranderen, gewoon omdat de tijd voorbijgaat. Ik ben het daar niet mee eens. Volgens mij blijft iedereen altijd dezelfde persoon: we gaan als het ware van de ene kamer naar de andere, maar we blijven in hetzelfde huis. Als we de kamers van ons verleden ontgrendelen en we kijken naar binnen, zien we onze vroegere ik druk bezig te worden wie we nu zijn.' Ik ben het met Barrie eens: ieder lied dat ik heb geschreven maakt deel uit van een groter geheel, en als je naar mijn nieuwe album luistert, herken je het geraamte van mijn eerste lp, *Diep in de zee*.

U citeert de auteur van Peter Pan, *daar wil ik graag op ingaan. U draagt uw nieuwe album op aan een heel populaire figuur uit de kinderlijke verbeeldingswereld. Waarom?*

Natuurlijk heeft de komst van mijn zoon veel te maken met die themakeuze. Leonardo is het mooiste dat ik ooit heb meegemaakt. Ik heb zo naar hem verlangd, dat kan misschien niemand zich voorstellen. En toen hij er eenmaal was, waren mijn gevoelens nog sterker dan ik had gedacht. Dankzij hem kwam ik erachter, of beter gezegd, herinnerde ik me dat er in ieder van ons een kind schuilt. Dat kind hebben we in de loop van de jaren begraven onder een hoop ballast die we hebben verzameld toen we volwassen werden: haat, jaloezie, wroeging, lage streken, gekrenkte trots, stomme ambities… Maar het zit daar nog steeds, verstopt in een hoekje te wachten tot wij naar hem op zoek gaan.

Maar uw Peter Pan is wreed.

En waarom zou hij dat niet mogen zijn? Er wordt altijd gezegd dat we kinderen 'opvoeden', maar eigenlijk willen we ze kneden en vormen naar ons evenbeeld. Alsof dat iets is waar we mee door moeten gaan… Kinderen proberen zich tegen volwassenen te beschermen, en daar doen ze goed aan. Peter Pan is net zo wreed als andere kinderen: hij hakt Kapitein Haaks hand af en gooit die naar de krokodil. En later geniet hij ervan om dat verhaal te vertellen...

Op het hoesje staat Peter Pan afgebeeld met een baret op en een havanna in zijn mond: een duidelijke toespeling op Che Guevara. Waarom legt u dat verband?

Alle revolutionairen zijn jong, is u dat weleens opgevallen? Lenin, Bolivar, Garibaldi, Jezus, allemaal waren ze vroegrijp. Ik ken geen enkele rebel van tachtig, u wel? Volgens mij hebben alle kinderen de gave om de wereld op zijn kop te zetten, maar slechts een paar doen dat ook daadwerkelijk.

U zegt dat u geïnspireerd bent door de komst van uw zoon. Maar heeft u het door hem ook niet heel druk gehad, met name na de scheiding van uw vrouw? Ik kan me zo voorstellen dat hij u op een bepaalde manier van uw werk heeft gehouden.

Ja, natuurlijk, de komst van een kind brengt onvermijdelijk veranderingen met zich mee. Het dagelijks leven wordt er grotendeels door in beslag genomen, dat is zeker waar. Maar het zorgen voor Leonardo is nooit een inspanning, en ook geen verplichting. Het klinkt als een cliché, maar ik kan u verzekeren dat het uitsluitend een plezier is. Leonardo heeft niet van míj kunnen leren, maar ik van hem. Terwijl hij steeds groter werd, werd ik zelf steeds meer kind. Halverwege zijn we elkaar tegengekomen. Dankzij hem heb ik kunnen ontsnappen aan de vastgeroeste patronen van de muziek en echt nieuwe inspiratie gevonden. Leonardo heeft mij geïnspireerd, door zijn onschuld en zijn fantasie. Leonardo is mijn meesterwerk.

Het laatste nummer, die gevoelige en wrede triomftocht van de Verloren Jongens op de aarde, is behoorlijk angstaanjagend...

Bekijk het eens van hun kant. Vanaf het begin van de menselijke beschaving worden kinderen door volwassenen onderdrukt, gecommandeerd en gemanipuleerd. Nu hebben ze eindelijk een leider gevonden die hen kan aanvoeren in de strijd. En Peter Pan is bereid te doden.

Je gezicht

'Ik heb hem al gehoord, weet je dat?'

David schrok op en keek naar de politieman.

'Je cd… ik heb hem al gehoord.'

'Hoe kan dat?'

'Mijn kleinzoon heeft hem van internet gehaald. Het is een slimme dondersteen met die elektronische dingen.'

'Maar…'

'Ja, het is illegaal, dat weet ik. Laat maar, ik wil het niet horen. Zodra het album in de winkels ligt, koop ik het, dat beloof ik je. Of beter gezegd, ik koop er twee, dan doe ik er een cadeau aan mijn kleinzoon. Hij is fan van je, weet je dat? Hij kent al je platen, ook al is hij nog jong. Daar heb ik voor gezorgd. Ik heb hem alles over je verteld, ik ken je tenslotte al van kinds af aan. Nu is het net alsof hij je ook kent. Je bent immers hier geboren, je bent een van ons…'

David knikte.

'Dat is een van de redenen dat ik hier weer ben komen wonen. Ik verlangde terug naar onze streek, naar de zon en de zee.'

'Ja, dat kan ik me voorstellen. Mijn vrouw en ik…'

Arnaudi's stem trilde en hij zweeg. Hij maakte zijn zin niet af. Zijn blik werd troebel. Secondelang bleef hij door emotie overmand zitten. In het donker veegde hij met een vinger zijn tranen weg.

'Stom, zo'n ontstoken oog…'

Ineens stond hij op.

'Hoe laat is het eigenlijk…' Hij keek op zijn horloge met lichtgevende wijzers. 'Jeetje, halfvijf al. En ik zit hier maar te kletsen. Die kranten laat ik op tafel liggen, David, dan kun je ze morgenochtend rustig lezen.'

Hij draaide zich naar Leonardo toe.

'Welterusten, Leonardo.'

De politieagent pakte zijn regenjas en wilde zijn arm in de mouw steken, maar hij miste. Onhandig stond hij met zijn jas te stuntelen.

'Wacht maar, Vincenzo, ik help je wel even.'

'Dank je, het is zo donker…'

Arnaudi kon nog maar nauwelijks op zijn benen staan. David hield de regenjas op achter zijn rug, zodat hij hem makkelijker kon aantrekken.

De politieman stak een arm in een mouw. Hij draaide zich half om op zoek naar de andere, toen hij plotseling stopte.

Zonder zich verder met zijn jas bezig te houden, vroeg hij ineens op professionele toon: 'Als jullie mijn sms niet hebben ontvangen, waarom zijn jullie dan eigenlijk wakker?'

David trok wit weg. Vragend keek hij naar Leonardo. Ook de politieman draaide zich naar hem toe.

'Nou, Leonardo?'

Hij wachtte een paar seconden voor hij antwoord gaf. Dit was het moment waar hij bang voor was geweest: nu moest hij kiezen. Gek, eigenlijk had hij de hele nacht op de komst van de hoofdinspecteur gewacht. En nu Arnaudi voor zijn neus stond, wist Leonardo niet wat hij moest zeggen. Het lot van zijn twee vaders, en dat van hemzelf, lag in zijn handen.

'Omdat…' begon hij, maar hij maakte zijn zin niet af.

'Omdat…?' spoorde de politieman hem aan.

'Omdat de bliksem is ingeslagen.'

Arnaudi keek om naar David, die achter hem stond.

'Is de bliksem ingeslagen?'

'Ja,' antwoordde David, die maar net een zucht van opluchting kon onderdrukken.

'Waar dan?' vroeg de politieagent en hij hees zich in zijn regenjas.

'Beneden, in de olijfboomgaard. Kom, ik laat het je zien.'

David liep met hem mee naar de keukendeur en richtte met de zaklamp op de verbrande boom.

'Zie je het? Daar?' vroeg hij, zenuwachtig als een leerling die de beurt krijgt en een goede indruk wil maken.

Arnaudi zette zijn bril af en stopte hem in zijn jaszak.

'Ja, ik zie het. Wat een puinhoop. Dat was vast een…'

'… enorme bliksemslag,' vulde Leonardo aan, en alle twee draaiden ze zich naar hem om. 'Papa is meteen naar buiten gerend met het brandblusapparaat.'

Arnaudi keek weer naar buiten. Hij speurde de olijfboomgaard af op zoek naar het rode apparaat. Toen hij het zag liggen, aan de voet van de boom, glimlachte hij.

'Ik snap het al. Daarom is het licht natuurlijk uitgevallen…'

'Ja!' viel David hem nadrukkelijk bij. 'Alles is uitgevallen.'

De hoofdinspecteur knoopte zijn regenjas dicht.

'Nou, als je het energiebedrijf nodig hebt…'

'Bedankt, Vincenzo, maar ik denk het niet. Waarschijnlijk is het morgenochtend…'

Arnaudi luisterde al niet meer: hij zocht het knoopsgat onder zijn kraag. Zijn trillende handen kregen het niet te pakken.

'Zal ik je even helpen?' vroeg David. Hij legde de zaklamp op tafel en liep naar hem toe.

Met een vaderlijk gebaar knoopte hij de jas dicht, terwijl de hoofdinspecteur zijn kin opstak om hem de ruimte te geven. Hij stond zo dicht bij hem, dat Arnaudi Davids kleding kon zien en zelfs in het donker herkende hij een hemd en een broek.

'Maar…' zei hij en hij maakte zijn zin niet verder af.

Zwijgend keken ze elkaar aan.

Leonardo raadde wat de politieman dwarszat.

'Papa draagt nooit een pyjama,' zei hij snel. 'Hij slaapt altijd in zijn blootje. Toen de bliksem insloeg, heeft hij vlug iets aangetrokken en is meteen naar buiten geheld. Ik moest me ook aankleden om hem te helpen.'

'Ik snap het,' zei de politieagent en hij ging rechtop staan. 'Nogmaals mijn excuses dat ik jullie heb gestoord en welterusten.'

Arnaudi liep naar de keukendeur.

'Ik loop met je mee, dan doe ik het hek voor je open,' bood David aan.

'Dat hoeft niet, hoor. Ik heb de sleutel, weet je nog? Die heb je me zelf gegeven vorig jaar. "Voor het geval dat" zei je toen.'

Ontzet keek David naar de sleutel. Leonardo begreep dat hij die was vergeten. Als de hoofdinspecteur een paar minuten eerder was gekomen… Ze hadden geluk gehad… Of misschien juist niet.

'Nou, welterusten dan maar,' herhaalde Arnaudi en hij stak zijn hand uit.

David stak de zijne ook uit en zo bleven ze staan, want op dat moment sprongen de lampen weer aan.

De hoofdinspecteur was verblind door het plotselinge licht en knipperde met zijn ogen. Zodra hij zich had hersteld, keek hij David stomverbaasd aan.

'Maar David…' mompelde hij.

'Wat?'

Arnaudi wees.

'Je gezicht.'

En het licht was weer uit

David voelde aan zijn gezicht. Leonardo keek naar hem op. Maar natuurlijk! In het donker had de politieman de sporen van het gevecht met Roberto niet kunnen zien. Nu het licht weer aan was, waren ze duidelijk zichtbaar.

De hoofdinspecteur liep naar David.

'Wat is er met jou gebeurd?'

'Van de trap gevallen,' antwoordde David snel.

'Van de trap…?'

'Ja, ik schrok wakker door de bliksem en toen ik nog slaapdronken de trap af rende, ben ik gevallen. Gelukkig heb ik niets gebroken…'

Arnaudi voelde voorzichtig aan Davids gezicht, alsof hij wilde kijken hoe erg de verwondingen waren.

'Het is op meerdere plekken stuk. Dat moet nogal een val geweest zijn.'

'Die trap is gevaarlijk, dat zeg ik altijd tegen Leonardo. De treden zijn heel hoog en…'

'Ja, ik zie het…'

Leonardo volgde het gesprek met ingehouden adem. De politieman boog zich naar hem toe en keek hem streng aan.

'Leonardo, Leonardo… Hoe vaak heb ik je nou niet gezegd dat je je vader niet mag slaan?'

De man barstte in lachen uit, en David viel hem luid bij.

'Vandaag of morgen moet ik Slachtofferhulp nog bellen…' zei David grinnikend.

'Ja, haha…' de politieagent bleef maar schateren.

Ineens werd hij weer ernstig.

'Heb je nu alles onder controle?' vroeg hij aan David. 'Met de brand, bedoel ik.'

'Ja, hoor, maak je geen zorgen. Alles is onder controle…'

Arnaudi wendde zich tot Leonardo.

'En jij? Met jou ook alles goed?'

Hij aarzelde even.

'Ja, hoofdinspecteur, met mij ook…'

'Fijn. Nou, dan ga ik nu echt.'

De politieagent liep vastberaden op de deur af. Hij leek helemaal over zijn dronkenschap heen, en weer meester over zijn lichaam. Met bonzend hart volgde Leonardo zijn bewegingen. Tot zijn verbazing hoopte hij dat hij snel weg zou gaan.

De hoofdinspecteur deed de deurkruk omlaag en duwde de deur open. Toen stopte hij en draaide zich weer om.

'Wat dom! Ik vergeet ook altijd alles…' Hij herhaalde het gebaar van even tevoren en greep naar zijn hoofd.

Hij stapte naar achteren en deed de deur weer dicht.

'Nu ik jullie toch heb gestoord, zou ik dat mooie vissenboek mogen lenen? Je weet wel, dat met al die foto's van de verschillende soorten…'

David keek hem zwijgend en uitdrukkingsloos aan.

'Dat boek dat je in de woonkamer hebt liggen. De vorige keer heb je het me laten zien.'

David was niet in staat te reageren.

'Doe geen moeite, ik pak het zelf wel even. Nu het licht weer aan is, gaat dat prima.'

De politieagent wachtte niet op een antwoord, maar liep al naar de woonkamer. Daar brandden alle lampen die voor de kortsluiting aan waren geweest.

Leonardo zag dat David aan de grond genageld stond, stokstijf als een dirigent die na een concert op applaus wacht. Hij keek hem aan en vroeg met zijn blik om hulp. Leonardo was zowel met stomheid geslagen als blij tegelijk: hij vroeg hém om hulp!

Intussen was Arnaudi al halverwege. Nog een paar tellen, en het zou te laat zijn.

Leonardo wachtte tot de politieman bijna in de deuropening stond, haast op de drempel van de woonkamer. Toen sprong hij op. Van het aanrecht pakte hij Bob, zijn buitenboordbeugel. Vlug wierp hij David een blik toe waaruit onmiskenbaar sprak: 'Maak je geen zorgen.'

Toen holde hij naar de hoek van het aanrecht, waar de blender stond, en trok de stekker uit het stopcontact. Hij hield de uiteinden van zijn beugel in zijn hand – die twee vreselijke, metalen draden die hij elke avond tussen zijn tanden moest wringen. Hij had nooit gedacht dat hij ze nog op een andere manier zou kunnen gebruiken.

Vastberaden stak Leonardo de uiteinden van zijn beugel in het stopcontact.

Hij kreeg onmiddellijk een schok: eerst voelde hij een pijnlijke trilling door zijn hele lijf en toen een harde klap. En het licht was weer uit.

Welterusten

'Verdorie!' Arnaudi kon een vloek niet onderdrukken. 'Wat was dat?'

Precies op het moment dat de politieman de woonkamer binnenstapte, was het licht uitgegaan. Verloren stond hij in de absolute duisternis.

Op de grond in de keuken probeerde Leonardo het akelige gevoel de baas te worden van pijnlijke tintelingen op zijn huid.

David raadde waar hij zo ongeveer moest liggen en haastte zich naar hem toe.

'Gaat het?' fluisterde hij. 'Heb je je pijn gedaan?'

'Nee, het gaat wel,' mompelde Leonardo zachtjes.

'Zijn jullie daar nog?' vroeg de politieman met luidere stem. 'Ik zie niets meer.'

'Zeker weten? Gaat het wel?' fluisterde David weer. In het donker stak hij zijn hand uit, maar Leonardo ontweek hem.

'Hier ben ik! Ik kom eraan!' riep David naar de politieagent en hij kwam overeind.

'Wacht even.' Zachtjes riep Leonardo hem terug. 'De zaklamp…'

David reikte hem aan. Leonardo draaide de onderkant eraf, haalde de batterijen eruit en stopte die in zijn broekzak.

'Blijf waar je bent, Vincenzo. Ik kom je halen!' riep David luid. 'Verdorie, nu zijn de batterijen ook nog leeg,' voegde hij er zogenaamd verrast aan toe.

Langs de muur liep David naar de politieman, die met uitgestrekte armen op hem stond te wachten. Hij leek niet in staat zich te bewegen in het totale duister waarin ze terecht waren gekomen.

'Hier ben ik.'

Arnaudi pakte zijn hand met de onzekerheid van een oude man die bang is om te vallen.

'Loop maar met mij mee. Deze kant op,' moedigde David hem aan.

Plotseling doorkliefde een bliksemschicht de nacht, als de flits van een reusachtig fototoestel, en een fractie van een seconde baadde de woonkamer in het licht. David, die naar achteren keek, zag nog net het lugubere beeld van de dode Nana, de plas bloed en de omgestoten armstoel. Maar de hoofdinspecteur, die er met zijn rug naartoe stond, had niets gezien. Het was onmiddellijk weer donker.

'Hierheen, Vincenzo. We zijn bijna bij de deur.'

Ondertussen had Leonardo zich hersteld en wachtte op hen in de keuken.

'Vreselijk, ouder worden…' mompelde Arnaudi in zichzelf. 'Je ogen zijn niet meer zoals vroeger. En je evenwicht…'

De politieman liet zich door David aan de hand leiden, als een klein kind. Door de keukendeur scheen een zwak licht: toen hij dichterbij kwam, kon Arnaudi eindelijk weer wat zien.

'Wat een ongelooflijke nacht,' zei de politieagent. 'Ik ben kapot. Nu ga ik er echt vandoor,' en hij duwde de deur open. Een hevige windvlaag woei door de keuken en duwde hen haast achteruit. In de woonkamer klapperde het raam.

De hoofdinspecteur draaide zich naar hen om en stak zijn hand op.

'Goedenacht, of wat daar nog van over is…'

Er klonk een geluid.

Nog een.

En nog een.

Een zacht gebons, een aantal keer achter elkaar.

Even was het stil.

Toen klonk er nog meer gebons, binnen, in het huis.

Alle drie stonden ze doodstil te luisteren.

Arnaudi zei als eerste iets.

'Horen jullie dat ook?'

Hij liep naar het midden van de keuken en hield zijn adem in om beter te kunnen luisteren.

Twee, drie bonzen.

'Ja, luister…' zei de politieman.

Leonardo beet op zijn lip. Hij wist wat dat geluid was. Het was Roberto, die opgesloten in het berghok tegen de muur sloeg.

Boem, boem.

'Daar is iemand.'

De stem van de hoofdinspecteur klonk plotseling ernstig. Er was geen ontkomen meer aan: hij zou hun geheim ontdekken.

David liep naar de politieman toe.

'Vincenzo,' zei hij terwijl hij van achteren op hem afliep. 'Vincenzo…'

'Ja?' antwoordde Arnaudi. Afgeleid, maar nog steeds gespitst op het mysterieuze geluid, draaide hij zich niet om.

'Vincenzo,' riep David weer, maar hij voegde daar verder niets aan toe. Achterdochtig draaide Arnaudi zich om. Leonardo begreep dat hij niet langer kon wachten. Hij moest iets doen, anders zou de politieagent de aanwezigheid van Roberto ontdekken, en wie weet wat er dan zou gebeuren.

'Dat is Nana,' zei Leonardo.

'Nana?' vroeg de politieagent en in het donker draaide hij zijn gezicht in de richting van Leonardo's stem.

'Die hebben we in het berghok opgesloten. Als het zo onweert, worden we gek van hem.'

Boem, boem hoorden ze weer op de muur, haast als een indirecte bevestiging.

'Vreemd…' vond Arnaudi. 'Het lijkt zo'n brave hond.'

'Dat is hij ook,' onderbrak David, 'hij is heel braaf, maar als het onweert, draait hij door. Dat is iedere keer zo.'

'Arme hond…'

Even bleef de politieagent onbeweeglijk staan. Toen begaf hij zich naar de deur.

'Zal ik met je meelopen?' bood David aan.

'Dank je, maar dat hoeft niet. Buiten is het lichter en kan ik wel wat zien.'

Voor hij wegging, keek hij nog even over zijn schouder.

'Is alles in orde, Leonardo? Echt waar?'

'Ja, hoofdinspecteur. Echt waar.'

'Nou, dan ga ik maar,' zei de hoofdinspecteur met een zucht. 'Welterusten.'

Nu weet je alles

'Eindelijk is hij weg.'

David en Leonardo stonden door het keukenraam te kijken.

In de rots van de oude spoorwegtunnel waren een paar bogen opengehakt om licht door te laten. Die bogen waren vanuit de keuken te zien en een paar tellen geleden was de weerschijn van de koplampen van Arnaudi's jeep te zien geweest. Langzaam was het licht zwakker geworden en in de richting van het dorp verdwenen. Nu was de tunnel weer donker.

David wachtte een paar minuten, om er zeker van te zijn dat de politieman niet zou terugkomen. Toen liep hij zuchtend bij het raam vandaan.

'Het gevaar is voorbij. Ik ga de stroom weer aansluiten.'

'En als hij terugkomt?' vroeg Leonardo.

'Dan zeggen we dat het licht weer is aangesprongen. Maar ik denk niet dat we hem vannacht nog terugzien.'

David deed het deurtje van de meterkast open. Hij wipte het hendeltje van de zekering omhoog en het was weer licht in de villa.

'Kom, we halen hem eruit,' zei David.

Leonardo volgde hem naar de deur van het berghok. David deed hem open. Roberto was met zijn rug op de vloer gaan liggen en had zijn benen in de lucht gestoken. De witte muur zat vol met zijn voetafdrukken.

'Knap, hoor,' zei David en hij sleurde hem naar buiten, 'je hebt flinke herrie gemaakt.'

Hij sleepte hem naar de woonkamer en liet hem daar op de vloer liggen. Leonardo ging naar hem toe en haalde de knevel uit zijn mond.

'Dank je…'

Leonardo bestudeerde Roberto's gezichtsuitdrukking. Het leek alsof hij iets van hem verwachtte. Maar wat? Hij wist nog steeds niet goed waarom hij David eigenlijk had geholpen de hoofdinspecteur het huis uit te krijgen. Was het omdat hij

zijn vader

David niet kon verraden, of omdat Roberto, als hij gevonden zou worden, zou worden teruggestuurd naar de gevangenis?

'Wat doen we nu?' vroeg David terwijl hij op de bank neerplofte.

Leonardo was verbijsterd: voor het eerst in zijn leven stelde hij hem een dergelijke vraag. Normaal gesproken wist David altijd wat hij moest doen, en hij vroeg hém zeker niet om zijn mening.

'De auto kan niet worden gebruikt, de telefoon doet het niet… We kunnen nergens heen.'

Leonardo was niet gewend om Davids woorden in twijfel te trekken, maar er was veel veranderd in die nacht. David en Roberto, Roberto en David… hij aarzelde tussen de een en de ander, maar kon geen beslissing nemen. Hij had tijd nodig, nog iets meer tijd.

'Zo kunnen we hem niet laten liggen…' zei hij uiteindelijk.

'Wie?'

'Nana, die kunnen we zo niet laten liggen.' Met zijn hoofd knikte hij naar de hond.

'We hebben nu andere dingen aan ons hoofd, Leonardo.'

Hij schudde zijn hoofd, zoals kleine kinderen doen uit koppigheid.

'Nee, ik kan hem daar niet zo laten liggen. Het is mijn hond!'

Langzaam deed David zijn ogen dicht. Leonardo herkende dat: normaal gesproken kondigde het een woedeaanval aan. Maar nu zag hij dat David zich inhield.

'Vooruit dan maar.' David stond op. 'Ik heb trouwens een idee. We kunnen wel weg, we hebben nog een mogelijkheid over.'

'De boot?' raadde Leonardo.

'Ik weet wat je denkt, Leonardo. Je bent in de war en dat begrijp ik. Alles wat je vannacht hebt gehoord… Het is te veel voor je. Nu heb je tijd nodig. Ik ook. Bovendien heeft hij je niet alles verteld.'

Roberto lachte schamper.

'Dat klopt: ik heb je niet alles over hem verteld. Maar als hij dat zelf wil…'

'Hou je bek! Luister, Leonardo: ik heb zelf ook tijd nodig, om alles goed uit te leggen. Gelukkig is Vincenzo vertrokken, want hij zou het niet hebben begrepen. Laten we met de boot naar het dorp gaan… Of nee, naar Levanto. Daar huren we een auto en dan gaan we met zijn drieën ergens heen, naar Frankrijk of zo, of nog verder weg… Hier kunnen we in ieder geval niet blijven, vroeg of laat komt Vincenzo terug, die is vreselijk nieuwsgierig. Morgenochtend moeten we al weg zijn. Wat denk je ervan, Leonardo?'

Hij zei niets.

'Je hoeft je geen zorgen te maken. We doen het zo: jij graaft een kuil om Nana in te begraven en denkt er ondertussen rustig over na. Oké?'

Leonardo keek van David naar Roberto en van Roberto naar David. Toen schudde hij zijn hoofd.

'Nee.'

'Waarom niet?' David keek naar zijn rivaal. 'O, ik snap het al. Je bent bezorgd om hem, hè? Je bent bang dat ik hem wat aandoe.'

Leonardo gaf geen antwoord, dat was niet nodig.

'Luister. Jij graaft een gat, en ik ga naar de steiger om de boot te controleren. Stel je voor dat de bougies nat zijn geworden met dit weer. En ik giet de tank ook vol. Misschien halen we dan zelfs Sestri wel, in plaats van Levanto. Dat is groter en daar vallen we minder op. Hij blijft hier, vastgebonden. Voorlopig tenminste wel. Vind je dat een beter idee?'

Leonardo dacht er even over na en knikte toen.

'Mooi. Gaan we dan samen naar buiten?'

'Leonardo!' Dat was Roberto. Hij draaide zich om. 'Je moet hem niet vertrouwen. Nooit.'

David snoof minachtend.

'Waar ben je bang voor? Dat ik hem ervan overtuig dat je onzin verkoopt? Kom, Leonardo…'

Ze trokken hun oliejassen aan en gingen naar buiten. Voor hij naar de steiger liep, zei de man die zijn vader was geweest: 'Neem die schop waar ik het vuur mee heb gedoofd. Die ligt daar nog ergens.' Hij vroeg de sleutels van de boot terug, die Leonardo bij zich droeg sinds hij de lichtpijlen was gaan halen. Toen rende David naar de steiger en verlichtte het pad met een zaklamp die hij uit de keuken had meegenomen. Leonardo deed de batterijen weer in zijn eigen zaklamp en knipte hem aan.

De regen kwam met bakken uit de lucht en alles was drijfnat. De grond van de olijfboomgaard was heel drassig en zoog zich bij iedere stap aan Leonardo's laarzen vast. Waar was die schop? Hij zwaaide met de zaklamp heen en weer, maar dat gaf alleen maar lange, onrustige schaduwen, die om hem heen draaiden. Hij huiverde. Zo was het genoeg. Het had geen zin om die schop van papa te lopen zoeken. De garage stond vol met gereedschap. Hij vond het niet fijn daar in zijn eentje naartoe te lopen, zo in het donker, maar… Hij wierp een blik omlaag, op de steiger.

David had de zaklamp tegen de meerpaal gezet, maar zelf was hij nergens te bekennen. Waar was hij gebleven? Leonardo ging op zijn tenen staan om beter te kunnen zien, maar vergeefs. Een paar seconden later verscheen David echter in de lichtcirkel. Een grote steen hield hij als een baby in zijn armen. Hij zag eruit alsof hij heel wat woog, en moeizaam tilde David hem in de boot. Toen verdween hij weer in het donker. Een ogenblik later kwam hij weer tevoorschijn met nog een steen. Zo ging het drie of vier keer. Toen sprong hij zelf in de Novamarine.

Plotseling, alsof hij voelde dat hij werd begluurd, tilde David zijn hoofd op en keek zijn kant op. Snel verstopte Leonardo zich achter een boom. Hij begreep niet wat zijn vader aan het doen was, maar het beviel hem niets.

Snel! Hij moest opschieten met het graf voor Nana. Tijdens het graven zou hij wel iets bedenken om David af te leiden en tijd te winnen: die nacht was hij een expert geworden in afleidingsmanoeuvres.

Leonardo holde naar de garage en scheen met zijn zaklamp naar binnen. Tegen de muur stonden de harken, de spaden, de schoppen en de houwelen keurig netjes op een rij. Leonardo greep de dichtstbijzijnde schop en stond op het punt om naar buiten te gaan, toen plotseling zijn aandacht werd getrokken. Een detail…

Hij draaide zich langzaam om en keek wat…

De banden!

De autobanden!

Puntgaaf.

Niets mee aan de hand.

Dus papa

David

had gelogen. Het was niet waar dat Roberto ze lek had gestoken. David wilde hen dwingen met de boot te gaan, maar waarom? Hij dacht aan het schouwspel dat hij zojuist had gezien… Maar natuurlijk! Papa

David

wilde Roberto vermoorden door hem vastgebonden aan die stenen de zee in te gooien.

Hij holde naar buiten. Het gat voor Nana moest nog worden gegraven. Dat was hij zijn hond wel verschuldigd. Hij vond het een naar idee om hem zo te laten liggen, vies en met opengereten buik, als achtergelaten vuilnis op de grond. Hij was zijn beste vriend geweest.

Hollend op weg naar het huis kwam Leonardo langs mama's rozentuin. Met een ruk stond hij stil en deed een paar stappen achteruit. In de stromende regen keek hij naar het perkje. In de zachte aarde zou het heel gemakkelijk graven zijn. Bovendien was het perkje van mama, het enige andere levende wezen, naast Nana, dat ooit van hem had gehouden...

In een fractie van een seconde nam hij zijn besluit. Dit was de juiste plek. Hij legde zijn zaklamp op de grond, stak de schop in de aarde en duwde hem met zijn hele gewicht de grond in. Het sneed als een mes door de boter: de regen van de afgelopen uren had de aarde nog zachter gemaakt. Gelukkig had Leonardo een beetje tuinierervaring en wist hij hoe hij de schop moest gebruiken.

De regen striemde hem in het gezicht, maar Leonardo was over zijn vermoeidheid heen. Hij had nieuwe energie gekregen, zoals hij nog nooit eerder had gehad. Onder de oliejas begon hij te zweten. Met de rug van zijn hand schoof hij de capuchon van zijn hoofd. De regen viel op zijn haar en hij voelde zich direct beter. Hij ging verder met graven.

Tok

De schop had iets hards geraakt. Waarschijnlijk een steen. Er lagen overal stenen. Volgens de tuinman was de laag aarde nauwelijks een paar meter diep. De villa stond zo stevig op de rots verankerd, dat hij de ergste aardbevingen zou weerstaan.

Leonardo probeerde de aarde om de steen heen weg te graven, zodat hij hem eruit kon wippen. Zo had de tuinman hem dat geleerd. Maar dit was vast een heel grote steen, want hij ging er maar niet uit. Jammer, het gat was inmiddels groot genoeg voor Nana, maar nu liep het vol met water.

In de kuil schitterde iets.

Leonardo bukte zich om te kijken. Wat zou dat zijn? Hij wist het antwoord meteen: de schat! De schat die in de tuin verstopt was! Van alle plekken in de tuin was hij juist hier gaan graven… Hij had het kunnen weten: waar kon papa

David

de schat anders hebben verborgen dan op de meest bijzondere plek in de tuin?

Opgewonden pakte Leonardo zijn zaklamp. Hij knielde boven het gat en scheen erin. Ja hoor, hij zag het duidelijk. In de omgewoelde aarde lag een ring. Hij stak zijn hand uit om hem te pakken.

Plotseling stopte hij.

Het was niet zomaar een ring.

Witgoud met een aquamarijn.

Het was mama's ring.

Hij zat ergens omheen, maar niet om een vinger.

Hij zat om een dun, wit stokje, dat net boven de aarde uitstak.

Een botje.

Leonardo was geschokt, verbijsterd en met afschuw vervuld. Zijn hersens probeerden te bevatten wat hij zag.

'Leonardo!'

Hij schrok.

Vanuit zijn geknielde positie op de grond keek hij over zijn schouder. Boven hem uittorenend – lang, donker, indrukwekkend en verschrikkelijk – stond David. De regen stroomde over zijn oliejas naar beneden en het zwakke schijnsel van de zaklamp verlichtte zijn gezicht.

'Nu weet je alles.'

5 UUR

Ik zal je krijgen

Geschokt plofte Leonardo in een leunstoel, dicht bij Roberto en het lichaam van Nana. David ging aan de andere kant van de kamer zitten.

'Wat is er gebeurd, Leonardo?' vroeg Roberto, die aan zijn gezicht zag dat er iets mis was. Hij gaf geen antwoord en staarde voor zich uit.

'Leonardo…'

'Houd je kop!' zei David.

'Nee, ik heb genoeg van jouw gecommandeer. Wat is er verdomme…'

David liet Roberto niet uitpraten, maar stortte zich op hem. Roberto probeerde de aanval zo goed mogelijk af te weren en trok zijn voeten op om zijn tegenstander te schoppen. David trapte naar zijn kruis, maar miste. Hij maakte aanstalten om een nieuwe klap uit te delen.

Pats!

Tegelijk keren ze om. Leonardo stond overeind. Hij trilde. Aan zijn voeten lag de schemerlamp in duizenden kleine, scherpe stukjes.

'Zo is het genoeg!' gebood hij.

David beheerste zich. Langzaam stond hij op en kwam met uitgestrekte armen op hem af.

'Leonardo…'

'Raak me niet aan!' Zachtjes herhaalde hij: 'Raak me niet aan.'

David gehoorzaamde en zei smekend: 'Je weet toch dat mama en ik van elkaar hielden, hè Leonardo…'

'Zie je het niet?' onderbrak Roberto hem. 'Hij gelooft je niet meer.'

'Het was een ongeluk, Leonardo, gewoon een stom ongeluk…' zei David.

Ineens schoot Roberto iets te binnen.

'Benedetta…' Hij aarzelde even voor hij verderging: 'Ze heeft me geschreven, toen ik in de gevangenis zat.'

'Wat…' David zweeg.

'Dat wist je niet, hè? Ja, je vrouw heeft me geschreven. Een lange brief. Ze vroeg om vergiffenis voor alles wat jullie me hebben aangedaan. Benedetta was echt lief. Ze voelde zich heel schuldig, terwijl jij eigenlijk overal verantwoordelijk voor was. Ze schreef dat ze er niet meer tegen kon, dat ze niet meer kon slapen en dat ze er met iemand over moest praten. Ik geloof zelfs dat ze van plan was om naar de politie te gaan. Ze hield niet meer van je. Sterker nog, ze haatte je. Ze vond het vreselijk hoe je hem behandelde…' Hij keek naar Leonardo. 'Later las ik in de krant dat ze je had verlaten. Dat verbaasde me niets. Maar ik had nooit gedacht dat je zo ver zou gaan…'

David slaakte een diepe zucht. Hij leunde achterover. Leonardo zag dat hij zat na te denken. Zijn hersens werkten snel, dat wist hij. Papa

David

probeerde te bedenken hoe hij zich hier kon uit praten, en hij wist niet of hij daar bang voor of juist blij mee moest zijn.

'Het is waar, Leonardo,' gaf hij uiteindelijk toe. 'Het is allemaal waar. Maar je weet niet hoe het precies zit, daar heb je misschien niet over nagedacht, je bent ook nog maar een kind. Ik weet niet wat er aan de hand was met mama… ik bedoel, met Benedetta…. Op een gegeven moment bleef ze maar huilen, misschien was ze wel depressief, ik weet het niet. In ieder geval heb ik het niet doorgehad en toen was het ineens te laat. Ze zei steeds dat ze alles aan de hoofdinspecteur wilde vertellen. Ze dacht alleen nog maar aan jou, aan Sharon en ook aan hem…' Hij knikte met zijn hoofd naar Roberto. 'Ik heb geprobeerd haar te kalmeren, maar het lukte niet, niets lukte meer…'

Leonardo keek hem zwijgend aan.

'Ik zei nog tegen haar: zelfs als je naar de politie zou gaan om met je geweten in het reine te komen, wat bereik je daar dan mee? Nou Leonardo, wat zou dat voor zin hebben gehad?'

Hij gaf geen antwoord.

'Ik zal het je zeggen. Ze zouden ons misschien hebben gearresteerd, maar daar gaat het helemaal niet om. Het gaat om jou, Leonardo. En wat zou er met jou gebeurd zijn? Ze zouden je bij ons hebben weggehaald en je zeker niet aan hem hebben teruggegeven. Een vader die zijn eigen zoon verkoopt! Wie vertrouwt er nou aan zo iemand een kind toe?'

Roberto wilde iets te zeggen.

'Ik…'

David sprong uit zijn stoel, greep het harpoengeweer van de bank en richtte het op Roberto's borst.

'Stil jij! Of ik schiet je dood.' Zijn gezicht vertoonde geen spoor van twijfel.

David ging weer zitten, met de harpoen naast zich.

'Dat is de waarheid, Leonardo: je zou in een weeshuis zijn beland, zonder vader en zonder moeder.'

Leonardo kreeg kippenvel: zonder vader en zonder moeder. Net als Peter Pan!

'Misschien hadden we wel fouten gemaakt, dat weet ik niet, maar we konden in ieder geval niet meer terug. En jou naar een weeshuis sturen, of door wie dan ook laten adopteren, was dat de manier om van je te houden? Nee, Leonardo, geloof me nou maar. Benedetta hield niet echt van jou. Weet je wat zij wilde?

Zich van haar schuldgevoel bevrijden. Zelfs al zou dat betekenen dat jouw leven voor altijd verpest zou zijn.'

Leonardo luisterde zwijgend en staarde met een onpeilbare blik voor zich uit.

'Ik ben de enige die altijd echt van je heeft gehouden. Ik wilde je beschermen, zij niet. Toen ik haar met die nieuwe koffer zag aankomen, begreep ik dat er niets meer aan te doen was. Ik moest kiezen tussen haar en jou. En ik heb jou gekozen, Leonardo. Zegt dat niet genoeg?'

David stak zijn hand naar hem uit, maar hij deinsde geschrokken achteruit.

'Raak me niet aan!'

En toen:

'Mama hield wel van mij…

niet zoals jij

… ze hield echt van mij.'

Leonardo was van streek, maar ook een heel klein beetje opgelucht. Mama had hem niet in de steek gelaten, zoals hij altijd had gedacht. Nu wist hij zeker dat mama

Benedetta

niet vanwege hem was weggelopen. Hij kon niet goed lezen en schrijven en maakte haar vaak ongerust, maar dat was niet de reden dat ze was weggelopen. Sterker nog, ze had hem willen beschermen, en had dat met haar leven moeten bekopen.

Vier lange jaren had het geduurd, maar nu was Leonardo eindelijk weer met haar verzoend. Zijn oude verdriet verdween als sneeuw voor de zon.

'Ze hield wel echt van mij,' zei hij, vastberadener dan hij ooit was geweest.

David wilde nog iets zeggen, maar hield zich in. Hij schudde zijn hoofd en had een koortsige blik in zijn ogen die Leonardo nog niet eerder had gezien.

'Luister, Leonardo. We kunnen ervoor zorgen dat alles weer

wordt zoals vroeger. Echt waar. Moeilijk is het niet: een paar ansichtkaarten uit Australië waren voldoende om iedereen te doen geloven dat Benedetta zelf was weggelopen.' Hij knikte met zijn hoofd naar Roberto. 'Als we hem laten verdwijnen, wordt alles weer zoals vroeger. Hij zal verdrinken, zoals iedereen intussen toch al vermoedt. Ik heb stenen en touw klaargelegd, het is een kwestie van seconden. Helaas is de hoofdinspecteur langs geweest en we kunnen niet het risico nemen dat hij achterdochtig wordt na wat hij hier heeft gezien en gehoord. Ze moeten hem in zee vinden… Gestorven door verdrinking tijdens het vluchten… Hoor je me, Leonardo? We gooien hem hier in het water, vlak bij de rotsen. Over een paar dagen duik ik naar beneden, ik snijd het touw door en dan komt hij weer bovendrijven. Door de vissenbeten zullen de sporen van het vechten niet meer te zien zijn. Ik weet zeker dat ze niet eens een onderzoek instellen… Ze vinden water in zijn longen en denken dat hij verdronken is, zoals iedereen toch al vermoedde…'

David had een waanzinnige blik in zijn ogen.

'Nou, Leonardo, wat zeg je ervan? We laten hem verdwijnen en worden weer net zo gelukkig als vroeger.'

David boog zich naar hem toe en onwillekeurig deed Leonardo een stap achteruit. Net zo gelukkig als vroeger… Nee, Leonardo wist het nu zeker: hij was nooit gelukkig geweest. Tot vannacht had hij gedacht van wel. Maar alles was anders geworden.

'Nou, Leonardo, doe je mee?'

Dreigend kwam David overeind. Hij hield het harpoengeweer stevig vast, met de speer naar beneden. Leonardo deinsde nog verder achteruit, tot zijn rug de muur raakte.

'Doe je mee of niet, Leonardo? Luister…'

'Nee,' viel Leonardo hem in de rede. David keek verbaasd. 'Jij moet naar mij luisteren. Ik wil niet dat je hem iets aandoet.'

'Maar je bent hem niets verschuldigd, begrijp je dat dan niet? Niets. Ik ben jouw echte vader.'

Koppig schudde Leonardo zijn hoofd.

'Ik moet het wel doen, Leonardo. Voor jou.'

David richtte het harpoengeweer omhoog.

'De hoofdinspecteur kan me ook gestolen worden. We bedenken er wel wat op.'

'Nee!' schreeuwde Leonardo, en hij wierp zich op Roberto, die nog steeds op de grond lag. Hij sloeg zijn armen om hem heen.

'Ga opzij, Leonardo. Dit zijn niet jouw zaken.'

Leonardo schudde zijn hoofd en drukte Roberto nog dichter tegen zich aan. Die probeerde zich los te wringen, maar hij liet hem niet gaan.

'Ga weg,' smeekte Roberto. 'Ga alsjeblieft opzij…'

'Nee, ik blijf bij jou.'

'Toe nou,' drong Roberto aan en hij probeerde hem weg te duwen. 'Zie je niet dat hij gek is geworden?'

Maar Leonardo liet niet los. Vader en zoon vormden één geheel.

David kwam dichterbij. Midden in de kamer bleef hij staan, naast het lichaam van de hond, die op zijn rug lag met zijn ingewanden eruit. David had een gepijnigde blik in zijn ogen.

'Laat jij me ook in de steek, Leonardo? Dwing me alsjeblieft niet tot deze daad.'

Hij schudde zijn hoofd.

'Keer je je echt tegen mij?'

David hief het harpoengeweer op.

'Denk er goed over na, Leonardo.'

Leonardo bewoog zich niet en hield zijn adem in, verlamd door de afschuwelijke situatie. Nooit zou hij met dit vreselijke voorstel kunnen instemmen.

David had het harpoengeweer op hen gericht. Hij stond maar een paar meter bij hen vandaan.

'Alsjeblieft, Leonardo. Dwing me niet het risico te nemen je te verwonden.'

Leonardo deed zijn ogen dicht en kromp ineen. Was Tinkelbel nu maar hier…

'Je laat me geen andere keus, Leonardo,' herhaalde David nog één keer. Hij richtte op Roberto, maar hij wist hoe moeilijk het was om nauwkeurig te schieten met een harpoengeweer en bovendien zaten Leonardo en Roberto ineengestrengeld. Hij kneep in het handvat van het geweer en hield zijn vinger op de trekker. Hij wist precies hoeveel druk hij moest uitoefenen om te schieten.

Nog maar heel even, nog maar iets meer druk op de trekker en het elastiek zou de harpoen naar voren slingeren…

Plotseling gaf David een schreeuw, liet het wapen vallen en keek verbijsterd omlaag.

Het was Nana.

In een laatste, onverwachte stuiptrekking had de hond zijn kop opgetild en zijn sterke, scherpe tanden in Davids enkel gezet. Het kaakgewricht van de herder had zich gesloten in een gruwelijke beet. David sloeg op de kop van de hond, maar Nana liet niet los. Tevergeefs bleef David slaan. De ogen van de herder waren dicht: het leek wel alsof Nana eigenlijk al dood was, maar er in zijn kaak nog een laatste restje leven zat. Het laatste offer van de hond om zijn baasje te verdedigen.

Nana's bek liet niet meer los. Gekweld door de vreselijke pijn deed David met zijn vrije been vertwijfeld een stap naar voren, en probeerde met zijn andere been de hond los te schudden. Maar het dode dierenlichaam bleef vastzitten. Zijn tanden boorden zich alleen nog maar dieper in het vlees van zijn enkel.

'Laat los, rothond!' gilde hij. 'Laat los!'

Nana gehoorzaamde natuurlijk niet. Buiten zichzelf van pijn en woede zwalkte David door de kamer, klampte zich vast aan de bank en de boekenkast, in een poging het dier dat om zijn enkel zat geklemd af te schudden. Hij sleurde het hondenlichaam achter zich aan, en liet een spoor van bloed achter.

'Leonardo, vlucht!' riep Roberto.

In een wanhopige poging om weg te komen, sleepte David zich door de kamer.

'Vlucht, Leonardo!' schreeuwde Roberto weer. Maar hij bewoog zich niet, doodsbang en tegelijkertijd gefascineerd.

Door zich vast te klampen aan alle tafels, stoelen en andere meubels die hij was tegengekomen, had David inmiddels hijgend, bloedend en uitgeput de deur bereikt. Hij hield zich met beide handen aan de deurpost vast, buiten adem van de inspanning en de pijn. Met al zijn krachten trok hij de spieren van zijn dijbeen samen. Toen gaf hij met het been dat in de hondenbek gevangenzat, een trap – of iets wat daarop leek – tegen de scherpe punt van de deur. Nana's kop sloeg er hard tegenaan en ze hoorden de enkel nog verder openrijten. Maar de kaak bleef om de enkel van David gesloten zitten, en de tanden boorden er zelfs nog dieper in.

'Aaahhgg…'

Leonardo kon zijn blik niet van het gruwelijke schouwspel losmaken. De enkel bloedde flink en David gleed op de grond. Hijgend lag hij op zijn buik. Zijn ademhaling werd rustiger. Hij pakte de deurpost beet en sleepte zich over de vloer naar de keuken met het lichaam van het dier achter zich aan. Op zijn wanhopige tocht trok hij zich vooruit aan de handgrepen van de keukendeurtjes en de oven. Moeizaam sleepte hij zich van handgreep naar handgreep en stootte geluidloze kreten van pijn uit.

'Toe nou, Leonardo, vlucht!' spoorde Roberto hem aan. Maar hij kon zich niet bewegen. Er was geen spier in zijn lichaam die hem gehoorzaamde.

David was intussen halverwege de keuken. Op één hand richtte hij zich half op. Hij trok een laatje open, rommelde er op de tast in, maar vond niet wat hij zocht. Woedend en wanhopig trok hij het laatje uit de rails en smeet het weg. Met een hoop lawaai vloog de inhoud – vorken, messen, kurkentrekkers, soeplepels – in het rond.

Hij deed een ander laatje open en tastte erin rond. Eindelijk vond hij wat hij zocht.

Hij pakte het eruit en keek ernaar.

De vleeshamer.

Hij draaide zich om naar zijn verbrijzelde been en naar de hond die zijn kaken nog steeds op elkaar geklemd hield.

'Nu laat je los, jongen.'

Met al zijn kracht sloeg hij op Nana's schedel. Leonardo hoorde het bot versplinteren.

Nog steeds liet Nana niet los. Ook al was hij dood en kapotgeslagen, zijn kaken zaten nog steeds om de enkel geklemd. Buiten zichzelf van woede hief David de hamer op en sloeg nog twee, drie, vier, wel tien keer, terwijl de bloedspatten, de hersenen en de botsplinters in het rond vlogen. Toen er van de hondenkop alleen nog maar een bloederige en slijmerige brij over was, stak David zijn handen daarin, pakte de kaken beet en met bovenmenselijke kracht kreeg hij ze van elkaar. Met een diepe zucht van opluchting trok hij zijn enkel los, en schopte het lichaam van Nana weg.

Bezweet zakte David op de grond, vies en plakkerig van zijn eigen bloed, dat van de hond, stukjes hersenen en vermorzelde oogballen. Zijn enkel was helemaal kapot. Onder de opengereten huid kwam het witte bot tevoorschijn.

Even lag hij op de grond uit te hijgen en toen vermande hij zich. Hij keek op en zijn blik ontmoette die van Leonardo. Leonardo begreep dat hij moest vluchten. Eindelijk was de betovering verbroken. Met een ruk draaide hij zich om en holde naar buiten.

Hij was op de trap naar de steiger, toen hij achter zich, vanuit het huis, een angstaanjagende schreeuw hoorde.

'Leonardo! Ik zal je krijgen!'

Een zwak licht kondigde de zonsopgang aan

De boot was de enige manier om te vluchten. Het hek zat immers op slot, en bovendien durfde Leonardo niet nog een keer de tunnel in te gaan. Onder aan de trap naar de steiger, was hij ineens niet meer zo zeker van zijn zaak. Hoge golven sloegen hard op de kust. Zijn aarzeling duurde echter maar even. Het zal me lukken, zei hij tegen zichzelf.

Hij ging op zijn hurken bij de meerpaal zitten. Hij moest de tros losmaken waar de boot mee lag aangemeerd. Hij legde zijn zaklamp op de steiger. Zijn handen waren verstijfd van de kou en het touw was nat en glibberig van het zeewater en de algen. Zijn vingers kregen er geen grip op waardoor het uit zijn handen glipte.

Het bliksemde en instinctief keek Leonardo achterom. Op het pad in de olijfboomgaard zag hij in een flits een kromgebogen, afschrikwekkende figuur, die strompelend zijn kant op kwam. Op de plaats van zijn rechterarm zat iets dat een metalen schittering weerkaatste....

Kapitein Haak!

Leonardo's adem stokte. Kapitein Haak kwam hem halen! Verlamd van schrik staarde hij naar de plek waar hij de zeerover had gezien. Hij kon zich niet meer bewegen, niet eens zijn zaklamp pakken en die kant op schijnen, om te kijken of hij het goed had gezien. Hij moest een paar seconden wachten tot een nieuwe bliksemflits hemel en aarde verlichtte…

Was het echt Kapitein Haak?

Nee, toch niet, zag Leonardo opgelucht. De gedaante was dichterbij gekomen en Leonardo herkende hem.

Het was David.

Hinkend kwam hij vooruit. Hij moest regelmatig stoppen om op adem te komen en hield zich dan vast aan een boom of een rots.

En hij had geen haak. Hij droeg het harpoengeweer, waarvan de speer schitterde in het donker.

Opschieten, zei Leonardo tegen zichzelf en hij ging haastig verder met het losmaken van het touw. Verdorie, wat had David het stevig vastgeknoopt.

'Leonardo!' Het leek meer op gekrijs dan geschreeuw. Het gekrijs van een wild beest dat op het punt staat te doden.

Doodsbang verdubbelde Leonardo zijn inspanningen. Eindelijk was de knoop los! Leonardo kwam overeind, sloeg het touw om zijn hand en gaf er een harde ruk aan om de Novamarine naar de kant te trekken. Op een golf kwam de boot dichterbij en zonder aan zijn angsten te denken, aan al die dingen die hem tot een paar uur geleden hadden tegengehouden, sprong hij erin.

'Leonardoooo!'

Het woeste gekrijs klonk nu nog dichterbij, maar hij verspilde geen tijd met kijken waar David zich nu bevond. Hij had de zaklamp op de steiger laten liggen en moest in het donker verdergaan. Hij deed een stap naar voren, maar zijn voet gleed weg. Leonardo viel en stootte met zijn rug tegen iets hards. Hij voelde dat het een van de stenen was, waarmee David Roberto had willen verdrinken. Leonardo schoot met een rilling overeind. Schuifelend kon hij bij het stuurrad komen. Nu pas realiseerde hij zich dat hij de sleutels nodig had.

De sleutels…

Hij tastte naar het contact. Gelukkig staken de sleutels erin. David had ze daar laten zitten, toen hij de boot zojuist gereed had gemaakt.

Leonardo maakte contact: hij wist hoe dat moest. Hij had het wel duizend keer gezien, en hij vergat nooit iets. Hij drukte op de startknop. De startmotor kuchte een, twee, drie keer…

De buitenboordmotor maakte even een pruttelend geluid, maar ging weer uit. Wat was er aan de hand?

Leonardo keek op om te zien waar David was en in het zwakke schijnsel van de zaklamp die op de steiger was blijven liggen, zag hij hem boven aan de trap staan.

'Leonardo!' brulde hij en hij hief het harpoengeweer als een lans in de lucht. 'Blijf waar je bent!'

Paniekerig maakte Leonardo opnieuw contact.

De startmotor draaide steeds zwakker, en de 25pk-motor sprong maar niet aan.

'Toe, kom op,' smeekte Leonardo, terwijl de regen op zijn wangen zich vermengde met zijn tranen.

Er gebeurde niets. Hij haalde zijn vinger van de knop, en het roestige geluid hield op. Misschien was de motor verzopen, of misschien waren de bougies nat geworden… Als er vroeger zoiets was, had papa

David

hem dit soort verklaringen gegeven. Hij kon het zich wel herinneren, maar had geen flauw benul wat een bougie was, of wat 'verzopen' betekende, dus stelde hij zich voor dat de boel daarbinnen in de motor onder water stond…

Leonardo keek weer op.

David kwam langzaam de trap af, trede voor trede. Hij moest wel achteruit lopen, want vooruit kon hij niet afdalen. Eerst zette hij zijn goede been een stap naar achter, op de volgende trede, en dan sleepte hij zijn gewonde been erachteraan. Het harpoengeweer had hij onder zijn oksel gestoken, en met zijn rechterhand hield hij de reling vast. Hij moest voortdurend stoppen om bij te komen van de pijn.

Leonardo schatte in dat het nog wel even zou duren voor David op de steiger zou staan. Hij had nog een kans. Van de bestuurdersplaats schuifelde hij moeizaam langs de grote stenen die in de boot lagen opgestapeld naar de achtersteven, naar de motor.

Papa – David – deed dat altijd. Als het starten elektrisch niet lukte, probeerde hij het met de hand. Hij had het hem vaak zien doen en het zag er niet moeilijk uit.

Zelfs in het donker vond Leonardo het handvat van het koord meteen. Hij pakte de rubberen greep, haalde diep adem en trok hem met een ruk naar zich toe. Met alle traagheid van zijn twee cilinders verzette de motor zich. Het touw blokkeerde en Leonardo voelde een ruk aan zijn elleboog.

Kom op, niets aan de hand, sprak hij zichzelf moed in. Dit is niet het moment om je aan te stellen.

Hij keek weer omhoog. David was halverwege de trap en nog maar vijf of zes treden van de steiger verwijderd.

'Leonardo!' gilde hij. 'Als ik je te pakken krijg...'

Met zijn hele gewicht leunde David tegen de verroeste ijzeren reling, die vervaarlijk meeboog. David wankelde en helde over naar de kant van de woeste zee.

Val, smeekte Leonardo stilletjes, kom op, val naar beneden!

Wanhopig zwaaide David met zijn armen, in een poging zijn evenwicht te hervinden.

Val nou!

Eén ogenblik stond alles stil. Toen lukte het David zijn gewicht naar achter te verplaatsen en viel hij op de treden neer, met het harpoengeweer naast zich.

Van frustratie voelde Leonardo de tranen in zijn ogen branden. Hij mocht echter niet opgeven. Er zou geen hulp uit de hemel komen vallen om hem te redden. Hij moest het alleen doen.

Met beide handen greep hij het koord vast, negeerde de pijn in zijn elleboog en trok uit alle macht. De vorige keer waren de cilinders al in beweging gebracht. Nu, bij de tweede poging, rolde het koord in een vloeiende beweging helemaal uit, en al te enthousiast viel Leonardo achterover, met zijn rug op de bodem van de boot.

Bbbbbbbbbrrrrrrrrr

Het was gelukt! De motor draaide! Een walm onverbrande benzine woei in zijn gezicht, maar nog nooit had hij iets lekkerders geroken.

Langs de stenen kroop hij terug naar het stuurrad. Hij ging op het stoeltje zitten en pakte de gashendel beet. Voor hij eraan trok, keek hij even naar de steiger.

David was overeind gekomen en inmiddels onder aan de trap gearriveerd. Moeizaam strompelend sleepte hij zich naar de waterkant.

'Leonardo!'

Dreigend zwaaide hij met de harpoen.

Leonardo voelde een rilling langs zijn rug lopen. Snel, hij moest snel zijn! Eigenlijk had hij al gewonnen. Hij hoefde hem alleen nog maar in zijn achteruit te zetten en weg te varen. De achtersteven lag nog wel verankerd, maar met de motor in de hoogste stand zou hij het anker makkelijk een stuk mee kunnen slepen, in ieder geval tot buiten het bereik van het harpoengeweer.

Resoluut trok Leonardo de gashendel omlaag en…

De motor maakte een spugend geluid, draaide weer, draaide nog sneller en viel toen stil.

Hij was gestopt.

'Nee!' riep Leonardo wanhopig. Uit alle macht duwde hij op de startknop. De elektrische motor kuchte even, maar de batterij was leeg en hij hield ermee op.

Leonardo had zin om te huilen. Om lang en bevrijdend te huilen.

'Mama,' snikte hij. 'Mama…'

Hij mocht zich niet laten gaan. Misschien lukte het nog wel een keer om met de hand de motor de starten. Zojuist was die immers aangesprongen. Misschien…

Leonardo haastte zich naar de achtersteven, naar de motor. Hij gleed uit over de stenen, verzwikte zijn enkel – dezelfde die hij in de tunnel had bezeerd – en voelde een steek van pijn. Hij probeerde er niet aan te denken. Het koord, hij moest zich alleen nog maar op het koord concentreren. Daar hing het, vlak voor zijn neus…

'Leonardo! Waar ben je mee bezig?'

Hij keek op. David stond op de steiger, een paar meter bij hem vandaan. De Novamarine schommelde flink op en neer. Als hij op de kop van een golf was, kon Leonardo David niet meer zien. Zodra de boot omlaagging, kwam hij in al zijn gewelddadigheid weer tevoorschijn.

Op en neer, op en neer… Zwijgend stonden de man en de jongen, die ooit vader en zoon waren geweest, tegenover elkaar. Toen hief David langzaam het harpoengeweer.

'Je bent altijd onhandig geweest, Leonardo. Waar denk je dat je naartoe gaat?'

Leonardo bleef gehurkt in de boot zitten.

'Kom eruit,' gebood David ruw. 'Kom er onmiddellijk uit.'

Hij bewoog zich niet.

'Kom hier. Anders…'

Bij wijze van antwoord pakte Leonardo het handvat van het startkoord en gaf een ruk.

'Je bent pathetisch, Leonardo. Weet je wat dat betekent, pathetisch?'

Leonardo ging staan, zette één voet tegen de binnenrand van de boot en maakte zich klaar voor een beslissende ruk aan het koord.

'Ik vaar weg,' zei hij.

David kneep zijn ogen dicht en toen hij ze weer opendeed, had hij een beslissing genomen.

Hij richtte het harpoengeweer.

'Je laat me geen keus, Leonardo. Ik vind het heel erg. We hadden samen gelukkig kunnen zijn. Je bent van mij. Alleen van mij, snap je dat? En als ik je niet kan hebben, dan zal niemand je hebben.'

Leonardo beefde van angst, en ook al was hij natgeregend, verkleumd en uitgeput, toch haalde hij nog ergens de moed vandaan om antwoord te geven.

'Je hebt het mis. Ik ben niet van jou. Ik ben van degene die van mij houdt.'

Teleurgesteld schudde David zijn hoofd. Hij hield het wapen stevig vast en richtte. Zonder te aarzelen zette hij zijn vinger tegen de trekker.

Leonardo deed zijn ogen dicht. Hij vroeg zich af of het veel pijn zou doen.

Toen hij een paar tellen later – tellen die wel eeuwen leken en die hij nooit meer zou vergeten – zijn ogen weer opendeed keek hij meteen omlaag naar zijn lichaam. Zijn borst, zijn buik, zijn benen... niets aan te zien. Hij voelde aan zijn arm. Hij was helemaal niet gewond, hij had geen schrammetje... Er was niet eens bloed, geen druppeltje bloed.

Leonardo keek op.

David lag op de grond, op de natte steiger. De zaklamp verlichtte het schouwspel van onderen, waardoor de schaduwen langgerekt waren. De harpoen had hem helemaal doorboord, en met zijn handen omklemde David het uiteinde dat uit zijn buik stak, alsof hij dat eruit wilde trekken. Hij bewoog uitzinnig heen en weer, schopte tegen de rotsen en kreunde van de pijn.

Ineens stroomde er een golf bloed uit zijn mond, heftiger dan Leonardo zich ooit voor had kunnen stellen. Nog meer bloed gulpte uit de wond in zijn buik en vermengde zich met de naar buiten gekomen ingewanden. David lag te stuiptrekken, alsof hij een elektrische schok kreeg. Het bloed stroomde steeds minder heftig, maar zijn benen trilden nog onbedaarlijk. Toen werd ook dat minder en ten slotte stopte het. Zijn handen verslapten hun greep om de harpoen en gleden langzaam op de grond. Eindelijk overwonnen, zakte zijn lichaam ineen.

Op dat moment hield het op met regenen, werden de zwarte wolken grijs en dreven uiteen.

Aan de horizon boven de zee, kondigde een zwak licht de zonsopgang aan.

Televisiejournaal

'… de ontsnapping uit de gevangenis op Risetto en de opzienbarende dood van David Loreani lijken op de een of andere manier met elkaar in verband te staan. De reconstructie van de feiten heeft plaatsgevonden op basis van de getuigenverklaring van hoofdinspecteur Vincenzo Arnaudi. Op het spoor gebracht door een ontdekking in het archief waaruit bleek dat Roberto Conticini en Loreani elkaar in het verleden kenden, heeft hij een bezoek gebracht aan de villa en is er later in het geheim, te voet, teruggekeerd. De eerste uitgelekte berichten melden dat de hoofdinspecteur de dood van de beroemde zanger vanuit de verte zou hebben gezien, zonder te hebben kunnen ingrijpen. Loreani zou zijn doorboord door de speer van een harpoengeweer dat hij zelf zou hebben vastgehouden. De harpoen werd kennelijk geblokkeerd door een knoop in de volglijn, waardoor hij naar achteren schoot en de ongelukkige componist heeft doorboord. O, hier komt hoofdinspecteur Arnaudi net aangelopen… Hoofdinspecteur…'

'Ik heb u niets te vertellen, praat u maar met de onderzoeksrechter…'

'Eén vraag, hoofdinspecteur… Was die knoop er opzettelijk in gelegd?'

'Ik heb niets te zeggen, gaat u weg, alstublieft.'

'Dit is alles voor het moment. Terug naar de studio.'

Flinke knul

'Wanneer gaan ze nou eens weg...'

Vanuit het raam van het politiebureau keek de hoofdinspecteur geërgerd naar de horde journalisten die het kleine gebouw bestormde. Het viel Leonardo op dat hij er anders uitzag: hij was gekamd, geschoren en had een onberispelijk schoon uniform aan. Hij leek wel de jongere broer van de man die nog maar twaalf uur geleden in de villa was verschenen.

Het middaglicht viel schuin naar binnen, en verlichtte de leistenen vloer van het kantoor. Leonardo zat op de kleine bank van versleten kunstleer, het enige niet-functionele meubelstuk in de ruimte. Hij speelde met zijn jojo, het enige dat hij uit de villa had meegenomen. De ritmische beweging, op en neer, op en neer, kalmeerde hem. Het liefst wilde hij alles vergeten.

Vlak bij hem zat Roberto op een houten stoel, met pleisters op zijn hoofd, een groot verband om zijn borst, dat door zijn open hemd te zien was, een verband om zijn linkerarm en een om zijn dijbeen, dat uit zijn kapotte broek stak.

'Ze hebben zich hierbuiten geïnstalleerd en het ziet er niet naar uit dat ze weggaan. Tja...'

De hoofdinspecteur liep terug naar zijn bureau. Hij pakte het proces-verbaal en begon het op monotone toon voor te lezen. Leonardo begreep er niets van: de woorden stapelden zich op in zijn oren als vuilnis dat aanspoelt op het strand. Roberto probeerde zijn blik te vangen, maar hij vermeed het hem aan te kijken. Hij wist niet wat hij moest zeggen. Het beeld van de stervende David op de steiger verdween maar niet van zijn netvlies.

Op dat moment raakte het touwtje van Leonardo's jojo in de knoop, en het houten wieltje bleef doelloos onderaan bungelen. De hoofdinspecteur hield op met lezen en keek op. Plotseling verrieden zijn ogen iets van medeplichtigheid en hij glimlachte.

'Je bent een echte hengelaar, Leonardo. Dat blijkt maar weer. Een knoop heeft je gered, net zo een als die in je jojo. Goed, hoor. Eigenlijk zou ik boos op je moeten zijn, omdat je me niets hebt verteld toen ik bij je thuis was, maar ja… kinderen nemen grote mensen niet in vertrouwen, hè?' Hij ordende zijn stapel papieren. 'Dit is in ieder geval het proces-verbaal. U,' zei hij tegen Roberto, 'heeft veel aan de onderzoeksrechter uit te leggen. U heeft hoog spel gespeeld.'

Roberto schudde zijn hoofd.

'Ik heb een heleboel stommiteiten begaan, maar nu is dat voorbij. Ik ben er weer, Leonardo, voor jou.'

Aarzelend deed hij een stap in zijn richting. Leonardo keek naar de grond en deed alsof hij het niet hoorde. Hij wou dat hij alleen was en tijd had om na te denken. Hij moest zijn hoofd leegmaken.

'Leonardo…' zei Roberto en hij kwam dichterbij. Roerloos bleef Leonardo op de kleine bank zitten, met zijn ogen op de grond gericht. Roberto knielde voor hem neer en legde zachtjes zijn hoofd bij hem op schoot, alsof hij ging slapen. Hij deed zijn ogen dicht.

'Vergeef me,' zei hij.

Leonardo keek naar het grote en sterke hoofd dat op zijn schoot lag, net zoals hij bij mama ging liggen als hij geknuffeld wilde worden. Tussen het haar kwam het litteken weer tevoorschijn. Hij strekte een hand uit, hield die even in de lucht en aaide toen kort en snel over het hoofd.

'Ahum…' onderbrak de hoofdinspecteur het tafereel. Vlug streek hij over zijn oogleden. 'Die ellendige ontstoken ogen…'

Hij schraapte zijn keel.

'Nou, dit is in ieder geval het proces-verbaal,' zei hij tegen Leonardo. 'Normaal gesproken moeten de ouders de verklaring van een minderjarige ondertekenen, maar onder de huidige omstandigheden zou ik zeggen…'

Arnaudi keek zoekend op zijn bureau. Hij pakte een vulpen en draaide de dop eraf.

'Leonardo, ik denk dat jij de enige bent die kan ondertekenen.'

Roberto ging opzij, zodat Leonardo kon opstaan. Hij liep naar het bureau, keek bezorgd naar de pen en pakte die aan.

Arnaudi knikte hem bemoedigend toe. Roberto volgde met ingehouden adem zijn bewegingen.

Leonardo wachtte even, alsof hij zich de juiste code van een kluis moest herinneren. Toen keek hij naar het proces-verbaal, zette zijn tanden op elkaar en bracht de pen naar het papier.

Ineens boog hij zich voorover om te schrijven.

De hoofdinspecteur draaide het papier naar zich toe.

Leonardo Loreani

Onder aan het verbaal stond zijn handtekening. Netjes, duidelijk en nauwkeurig. Onmiskenbaar. Schuin geschreven. Het leek wel gedrukt.

Arnaudi stak een hand uit om over zijn bol te aaien.

'Flinke knul…'

Dankwoord

Mijn dank gaat uit naar Paola Caccianiga voor haar heldere adviezen over de verhaallijn, naar Pietro Ardizzi van de Associazione Volontari per il Servizio Internazionale die me de gang van zaken rond adopties heeft uitgelegd, en naar Giorgio Gaibazzi die me heeft ingewijd in de geheimen van het onderwatervissen. Veel liefs aan Leonardo, en ook aan Cecilia en Elisa, van wie ik alles heb geleerd wat ik over kinderen weet.